KB126962

석학人文강좌
07

인문학과 과학

석학人文강좌 **07**

인문학과 과학 – 과학기술 시대 인문학의 반성과 과제

2009년 12월 14일   초판 1쇄 발행

지은이	김영식
펴낸이	한철희
펴낸곳	돌베개
책임편집	최양순 · 이경아
편집	조성웅 · 김희진 · 김형렬 · 오경철 · 신귀영
디자인	이은정 · 박정영
디자인기획	민진기디자인

등록	1979년 8월 25일 제406-2003-018호
주소	(413-756) 경기도 파주시 교하읍 문발리 파주출판도시 532-4
전화	(031) 955-5020
팩스	(031) 955-5050
홈페이지	www.dolbegae.com
전자우편	book@dolbegae.co.kr

ⓒ 김영식, 2009

ISBN 978-89-7199-367-5 94340
ISBN 978-89-7199-331-6 (세트)

이 저서는 '한국학술진흥재단 석학과 함께하는 인문강좌'의 지원을 받아 출판된 책입니다.

석학
人文
강좌
07

인문학과 과학

과학기술 시대 인문학의 반성과 과제

김영식 지음

돌베
개

책머리에

　이 책은 내가 한국학술진흥재단의 석학과 함께하는 인문강좌 시리즈에서 '인문학과 과학: 과학기술 시대 인문학의 반성과 과제'라는 제목으로 2008년 8월 30일부터 9월 27일까지 네 차례에 걸쳐 행한 강의들의 내용을 정리한 것이다.

　당초 네 차례의 강의를 구상하면서, 나는 논리적인 순서를 택하기로 작정했었다. 먼저 문과와 이과, 인문학과 과학기술의 분리가 심각한 현재의 상황과 문제점을 점검하고, 이에 이르게 된 배경으로 서양과 동양의 과거의 상황을 살펴본 후, 마지막으로 미래를 전망하고 모색해 보는 순서는 그렇게 정해졌다. 그러나 실제 강의를 준비하는 1년여의 기간 동안 네 개의 강의의 내용이 지난 30여 년의 내 자신의 지적, 학문적 작업과 연관되어 서로 따로따로 발전되어 이 책의 네 장과 같은 모습이 되어 왔다.

1장은 그동안 내가 생활해 오면서 겪어 오고 느껴 온 문제, 즉 문과-이과 분리의 문제에 대한 생각들을 정리한 것이다. 2장은 과학기술의 전문화와 분리 상태가 서양에서의 과학의 전개 과정에서의 특수한 역사적 현상이었다는 것을 보이려는 취지를 지녔지만, 그 내용은 과학사를 공부하고 강의해 오면서 얻게 된 지식과 지니게 된 생각들로 이루어졌고, 주로 오늘날 사회와 문화 속에서 보는 것과 같은 과학이 출현, 형성되어 온 역사적 과정을 다루게 되었다. 3장은 동아시아 전통 사회의 주류 지식인이었던 유학자들이 과학기술을 중요시 여기지 않고 소홀히 한 면도 있었지만 그러나 그렇다고 배제하지 않고 포함시켰고 관심을 가진 면도 있었다는, 양면성을 보이는 데 주력했다. 이는 그간 내 자신이 주로 연구해 온 주제, 즉 유학자들이 자신들의 핵심 관심 대상인 경학經學, 도덕철학의 주변부에 속한 것들, 특히 과학기술에 대해 지녔던 태도에 대한 탐구의 일환이었다. 유학자들의 과학기술에 대한 태도는 개인에 따라, 시기에 따라 복잡한 측면과 양상을 보였는데, 사실은 내 자신의 평가도 때에 따라 이 중 어느 한쪽을 더 중요시 여기기도 했고 그것이 강의에서도 나타났을 것이다. 마지막 4장은 이제 어떻게 해야 하고 앞으로 어떻게 될 것인가 하는 것을 다루었는데, 비교적 최근의 생각들, 특히 강의들을 구상하면서 갖게 된 생각들을 제대로 정리하지 못한 채 모아 놓고 있다.

결국 이 같은 부족한 책으로 마무리지어졌지만, 이 강의 시리즈는 그동안 이런저런 계제에 단편적으로 글로 발표했거나 강연으로 했던 내용들을 함께 생각해 볼 귀중한 기회를 내게 제공해 주었다. 이 같은 강연들을 하도록 초청해 준 한국학술진흥재단에 감사한다. 그리고 강의를 진행하

는 동안 사회자인 이덕환 교수와 신중섭, 이중원, 임종태 교수 등 세 사람
의 논평자들이 모두 문과-이과의 구분과 장벽, 과학기술의 인문학 및 일
반 문화로부터의 분리가 문제와 폐해를 빚고 있고 이 같은 상황이 해소되
어야 한다는 주장에 동의하면서, 강의들을 주의 깊게 듣고(읽고) 각각 다
른 측면에서 반추하여 여러 가지를 생각하게 해 주는 깊이 있는 토론들을
해 주었다. 이에 대해 감사한다.

2009년 8월

靜裕齋 金永植

차례

1장

인문학과 과학

'문과'와 '이과' – 분리와 연결

I

머리말

 오늘날 인문학과 과학은 흔히 서로 상반되고 대립되는 것으로 인식된다. 우리나라에서는 이에서 더 나아가 이른바 '문과'와 '이과'의 엄격한 구분이 존재하고, 그 사이를 견고한 장벽이 가로막고 있다. 그러나 인문학과 과학이 본질상 반드시 그렇게 상반되거나 대립되어야 하는 것은 아니며, 실제 역사상으로도 두 가지가 분리되어 있지 않았다.

 역사상 많은 위대한 학자들이 인간의 지식의 모든 분야에 관심을 지녔다. 실제로 과거의 위대한 학자, 사상가들이 철학, 역사, 신학, 자연과학 등 모든 분야에 두루 관심을 갖고 조예가 깊은 경우를 많이 보게 된다. 예를 들어 뉴턴Isaac Newton(1642~1727)과 보일Robert Boyle(1627~1691) 등 과학자로 알려진 사람들이 신학과 철학에 깊은 관심을 지니고 있었으며, 데카르트René Descartes(1596~1650)·라이프니츠Gottfried

Wilhelm Leibniz(1646~1716) · 볼테르Voltaire(1694~1778) 등 주로 철학자나 문인으로 알려진 사람들이 과학에 깊은 관심을 가졌다. 동양에서도 주희朱熹(1130~1200)나 이황李滉(1501~1570), 이이李珥(1536~1584) 같은 유학자가 천문역법 같은 분야에 깊은 관심을 가지고 공부했다. 사실 이는 인간과 세계의 여러 문제에 폭넓은 관심을 가진 진지한 학자들로서는 당연한 일이었다고 할 수 있다. 명색이 학자이자 지식인이라는 사람이 인간의 지식의 대상 중 한 부분인 자연 세계를 자신의 관심에서 제외시키겠다고 하는 것은 지극히 이상한 태도이겠기 때문이다. 다만 인문학과 과학을 서로 상반되는 것으로 생각하는 경향이 오늘날 너무나 널리 퍼져 있어, 그 같은 이상한 태도가 당연한 것으로 느껴지는 것일 따름이다.

물론 오늘날 과학기술은 고도로 전문화되었고, 그 내용을 비전문가가 이해하기 어렵게 된 것은 사실이다. 그 어려움은 주로 과학기술에 대한 지식 —— 개념, 내용 —— 의 전문성에 기인하는데, 특히 과학이 수학적으로 전문화되고 과학에서 사용하는 용어가 전문화된 것이 일반인들이 과학기술을 이해하기 어려운 상황을 빚어냈다. 그러나 이는 과학기술 분야에만 국한된 상황이 아니다. 따지고 보면 과학기술 이외의 다른 많은 학문 분야들이나 예술 분야들도 고도로 전문화되어 일반인들이 이해하기 어렵기는 마찬가지인 것이다. 예를 들어 오늘날 철학, 경제학이나 문학비평, 시詩, 추상미술 등이 모두 일반인들의 수준에서 쉽게 이해할 수 없도록 어렵다. 과학기술은 문화의 다른 영역과 전혀 다른 종류의 것이라는 편견과 선입관을 제거한다면, 과학기술의 어려움이 이 같은 분야들의 전문화된 어려움과 크게 차이 나는 것은 아니다. 따라서 이런 분야들에 대해서는 그렇지 않으면서 유독 과학기술 분야들만 일반 지식인들의 관심에서 제외시켜야 할 이유는 없는 것이다.

또한 사람들 중에는 어느 한 분야에만 탐닉하고 다른 분야에는 무관심한 사람, 또는 어느 한 분야에만 자질을 지니고 다른 분야에는 그렇지 못한 사람이 있는 것도 사실이다. 그러나 그것은 특이한 사람의 경우일 뿐, 대부분의 사람들에게는 여러 분야에 대한 적성이 함께 존재한다. 위에 예로 든 학자들이 여러 영역에서 높은 수준의 지식을 지니고 있었던 것이 그에 대한 증거일 수 있다. 그렇다면 오늘날처럼 인문학에 속하는 모든 사람이, 나아가서는 이른바 '문과'에 속하는 모든 사람이 과학기술에 대해 철저하게 무지하고 무관심하고 그것을 당연한 것으로 여기는 것은 지극히 이상한 상황인 것이다.

물론 이 같은 경향은 우리나라에만 국한된 것이 아니고 전 세계적으로 나타나는 현상이다. 새로운 '과학 문화'scientific culture와 전통적인 '인문 문화'humanistic culture를 구분, 대립해서 이야기하는 '두 문화'Two Cultures라는 말이 널리 유행하는 것이 이를 보여준다.[1] 그러나 이러한 경향은 우리나라에서 특히 심하다. 그리고 그렇게 된 데에는 여러 요인이 있는데, 가장 큰 요인은 우리 사회에서 '문과'와 '이과'의 구분이 특히 심하고 그 사이의 장벽이 견고한 것이라고 할 수 있겠다. 이 장에서는 이 같은 구분과 장벽에 대해서, 그리고 그에 따른 '유리', '소외' 현상에 대해 주로 이야기할 것이다.[2]

2

문과와 이과 : 강제된 구분

우리나라의 학문과 교육에서는 이른바 '문과'와 '이과' 사이에 엄격한 구분이 존재한다. 고등학교 상급반이 되면 모든 학생이 예외 없이 문과나 이과 중 한쪽을 선택해야 하고, 일단 선택한 후에는 줄곧 자신이 선택한 '과'의 테두리에 갇혀서 다른 쪽 '과'로부터는 차단된 채 엄격한 구분과 차별 속에 생활하도록 제약받는 것이다. 그리고 실체에 바탕한 것이 아니라 근본적으로 인위적이고 임의적인 이 구분은 우리의 교육과 학문에 많은 폐단을 빚고 있다.

문과–이과의 선택은 우리나라의 모든 학생들에게 때가 되면 어김없이 찾아오는 것이기 때문에, 학생들은 성인이 되는 필수 과정의 일부로 결국은 닥칠 이 같은 선택을 미리 예상하면서 그에 대비하게 된다. 모든 학생들이 고등학교에 들어간 후 자신이 문과와 이과 중 어느 쪽에 속해야 할지, 어느 쪽이 더 자신의 적성에 맞는지 등 근본적인 문제들뿐만 아니라 어느 쪽이 더 공부하기 쉬우며 대학 입학과 졸업 후의 진로에 유리할 것인지 같은 보다 현실적인 문제들에 대해 생각하게 된다. 이런 상황에서 많은 학생들은 아예 부모에게 결정을 맡겨 버리거나 별 생각 없이 가볍게 한쪽을 선택해 버리지만, 이에 대해 심각하게 생각하는 학생들에게는 이 선택은 지극히 어려운 일이 된다.

사실 이런 선택을 하도록 강제한다는 것은 그 나이의 어린 학생들에게는 퍽 가혹한 일이다. 다음에서 자세히 살펴볼 것처럼 문과-이과의 구분이라는 것 자체가 근본적으로 임의적인 것일 뿐 아니라, 설사 그 같은 구분을 하는 것이 가능한 일이라고 하더라도 실제로 적성이 문과나 이과 어느 한쪽에 뚜렷이 기우는 사람은 아주 드물며, 또 그런 '기울음'을 판정하는 일도 쉽지 않기 때문이다. 그러나, 그럼에도 불구하고 학생들은 반드시 한쪽을 선택해야 하며, 일단 선택한 후에는 그 선택이 학생 자신의 앞날에 굉장한 제약을 가하는 견고한 장벽으로 작용하게 된다. 모든 학생들이 같은 시점에서 일제히 문과 또는 이과를 선택하고 그 후 대학에 진학해 그 구분의 틀 속에서 생활하는 성장 과정을 거치는 동안, 그들은 당초 정도의 차이는 있을망정 어느 정도의 고민과 고통을 겪으며 자신들이 스스로 선택한 한쪽에 완전히 속해 버리는 것이다.

어린 시절부터 그 속에서 자라났고 학교와 사회로부터도 공인된 것이기에 문과-이과의 이 구분은 학생들의 머릿속에 완전히 고정된 관념으로, 모든 것에 앞서는 대전제로 자리 잡는다. 그리고 이에 따라 그들은 학문과 관련된 모든 것을 문과와 이과로 구분하는 버릇에 철저히 젖게 된다. 모든 학문 분야나 학과, 교과목 등이 그들의 머릿속에서 문과와 이과로 나뉨은 물론 이들 분야의 교수, 학생, 책, 시험, 심지어는 과외 활동까지도 문과-이과로 나누어진다. 이 같은 버릇은 학생 때로 끝나지 않고 그 후로도 그들의 일생을 통해 계속 이어지며, 더욱 심해지기도 한다. 또한 이런 일이 학문 사회에만 국한된 것도 아니어서, 일반인들 사이에서 오히려 문과-이과의 구분이 더 당연한 것으로 받아들여진다.

때로 현대의 학문적 현실과 부합되지 못하는 문과-이과의 구분이 빚어내는 폐단이 인식되기도 하고 이 구분을 받아들이지 않는 제도가 시도되는 일도 있지만, 대부분의 경우는 이 구분을 맹신하는 사람들로부터의 거센 반발에 접하고 결국은 현실을 이 구분의 틀에 억지로 맞추거나 맞추어지지 않는 부분은 외면해 버리는 식으로 끝나고 말게 된다. 가장 두드러진 예가 1993년에 처음 실시되어 현재에 이르고 있는 대학수학능력시험의 경우이다. 이 시험이 처음 시행된 1993년에는 문과-이과의 구분 없이 모든 수험생들이 같은 문제를 풀도록 했다. 그 결과 문과-이과를 구분해서 교육시키는 현행 제도로 인해 어느 한 쪽 학생들에게는 유리하고 다른 쪽에는 불리한 문제점들이 드러났다. 사실 이 문제점들이야말로 문과-이과를 구분해서 교육하는 우리나라 고교 교육제도의 문제점이었다. 그처럼 임의적이고 무리한 문과-이과 구분 때문에 우리 고등학교 교육이 학생들로 하여금 균형 잡힌 대학 수학 능력을 함양하도록 해 주지 못했던 것이다. 그러나 이에 대한 우리 사회와 교육 당국의 대응은 이 같은 문제점을 해소하기 위해 더욱 균형 잡힌 고등학교 교육을 모색하는 방향으로가 아니라, 이 제도에 문과-이과의 구분을 다시 도입하는 방향으로 이루어졌다. 문과-이과의 임의적 구분이 문제의 원인임을 살피지 못하고 오히려 그 구분을 절대적인 전제로 받아들이고 있었다는 것을 알 수 있다. 사실상 교사, 학부모, 교육행정가, 정치인 등 우리 사회의 구성원 모두가 학문과 관련된 모든 일을 — 때로는 학문 외적인 것들까지를 — 문과와 이과로 나누는 것을 철칙으로 신봉하고 그 철칙에 맞지 않는 상황에는 맹목적으로 저항하기까지 하는 버릇에 젖어 있는 것이다.

　우리 사회는 문과와 이과를 구분할 뿐만 아니라 이 둘이 서로 엄격하게 대칭과 균형을 이루어야 한다고 고집한다. 예를 들어 초·중등 교육이나 대학의 교양 교육에 있어 사회 교과목과 과학 교과목(심지어는 국어 교과목과 수학 교과목)이 절대적으로 균형을 이루고 똑같은 비중을 지녀야 한다고 생각한다. 우리 교육계에서 이 둘이 평등하게 똑같이 다루어져야 한다는 생각은 남녀가 평등하게 다루어져야 한다는 생각보다 더 철저하게 지켜지고 있어서, 예를 들어 '문과 교과목'인 사회 과목을 한 시간 늘리거나 줄이려면 '이과 교과목'인 과학 과목도 한 시간을 늘리거나 줄여야 하는 것을 당연한 철칙으로 받아들이고 있다. 과학기술이 사회와 문화 속에서 점점 중요해져 가는 현대의 상황에서 모든 학생들에게 과학기술 교육을 더 강화함으로써 그들이 앞으로 생활해 나가야 할 현대 사회와 문화에 제대로 대처하도록 하자는 당연한 주장 같은 것은 이러한 문과-이과 평등의 철칙 앞에서 논의의 대상조차 되지 못하고 만다.*

---

* 문과-이과 구분의 무리함을 보이기 위해 앞에서 남-여의 구분을 잠깐 예로 들었지만, 사실 남-여 구분 자체는 실체가 없는 억지스러운 것이 아니다. 문제가 있다면 그것은 남-여 구분에 바탕한 장벽과 차별이라고 할 수 있겠는데, 아직도 완강하게 그 견고함을 유지하고 있는 문과-이과 구분과는 달리 남-여 구분과 관련된 그 같은 문제점들은 오늘날 점점 완화되어 가고 있다.

학문 분야를 두고 문과-이과를 강제로 구분하는 일의 무리함을 더 잘 드러내 보이기 위해 음식을 두고서 가상적인 구분을 생각해 볼 수 있다. 가령 모든 음식을 '양식'과 '한식'으로 나눈다고 가정해 보자. 우선 그렇게 구분하는 것 자체도 무리가 있을 수 있다. 일본식, 중국식이나 인도식, 아랍식, 터키식, 멕시코식 등을 단순히 한식과 양식 두 가지로만 나누는 것이 무리일 뿐 아니라, 오늘날 점점 많아지는 이른바 퓨전식은 그러한 구분을 완전히 불가능하게 할 것이기 때문이다. 그리고 편의상 이런 음식들까지 모두 양식과 한식 어느 한쪽으로 구분하는 일이 가능하다고 가정한다고 해도, 모든 사람에게 어느 시점에서 양식과 한식 중 하나를 선택하게 하고 한 번 정한 후에는 그쪽만을 먹도록 한다고 생각해 보자. 이를테면 한 번 스테이크를 선택해서 양식 쪽에 서는 사람은 평생 양식만 먹어야 한다는 식이다. 물론 사람에 따라서는 어느 한쪽 음식이 맞는 사람도 있을 것이다. 그러나 한 번 양식을 택한 사람은 누구나 항상 스테이크, 스파게티, 피자, 햄버거만 먹어야 하고, 때로 설렁탕이나 김밥, 만두, 불고기를 먹고 싶어도 그것이 자신이 속하는 양식에서 벗어나는 일이니 피해야 한다면, 이것이 얼마나 억지스러운 상황인가? 더구나 전 국민의 식단에서 두 쪽의 비중이 완전히 균형을 이루어야 한다고 고집하고, 예를 들어 양식 식단의 종류를 늘리거나 줄일 때 반드시 한식 식단도 같이 늘리거나 줄여야 한다고 고집한다면 어떻게 느껴질 것인가?

3

문과-이과 구분의 실체

위에서 본 것과 같은 문과-이과의 구분과 그 사이의 높은 장벽은 우리 학문 사회의 구성원 모두가 어려서부터 그 구분과 함께 생활하면서 깊이 젖어 왔기에 당연한 것으로 생각하고 받아들이기 쉽지만, 이 구분은 실체가 있는 본질적인 구분이 아니라 지극히 임의적인 구분이다. 문과와 이과 사이의 장벽은 각각의 분야들 사이에 실제로 존재하는 것이 아니라 단지 우리 머릿속에 관념상으로 존재하거나 사회 속에 제도적으로 존재하는 것이다. 따라서 문과와 이과 사이에서 우리가 어떤 차이를 느끼게 되는 것은 사실이지만, 이는 양쪽 분야들의 내용과 성격에 실재하는 것이기보다는 이 같은 관념적·제도적 장벽이 만들어 낸 인위적인 것일 뿐이다. 그럼에도 불구하고 우리 학문 사회는 근본적으로 인위적인 문과·이과 간의 경계를 뚜렷한 실체로 받아들이고 있다. 만일 이 경계가 실체가 있는 것이 아니라 인위적이고 임의적인 것임을 제대로 인식한다면, 모든 분야를 두고 문과와 이과로 구분하려 할 리도 없겠지만, 굳이 해야 한다고 해도 그렇게 경직된 배타적인 태도가 나타나지는 않았을 것이다.

구체적인 분야들을 문과와 이과로 나누는 실제 관행을 살펴보면, 문과–이과 구분의 이 같은 임의성이 곧 드러난다. 이 관행에 따르면 사람들은 우선 이과에 자연과학 분야들을 비롯해서 수학, 공학, 의학, 약학 등을 포함시키고, 나머지 대부분의 분야들은 자동적으로 문과에 소속시킨다. 이에 따라 문과는 역사학·철학·문학·어학 등의 이른바 '인문학' 분야에서부터 경제학·정치학·사회학 등 '사회과학'의 여러 분야들, 그리고 신학·경영학·법학·행정학·교육학·언론학 등 전문 분야들과 음악·미술 등의 예술 분야까지를 모두 망라하게 된다.

그러나 이렇게 둘로 나누어진 분야들 사이에 본질적인 뚜렷한 경계가 있을 수 없음은 쉽게 알 수 있다. 예를 들어, 철학이 문과에 속한다는 점 때문에 경영학이나 행정학과는 같은 쪽에 분류되면서 이과인 수학으로부터는 철저히 격리되고, 경제학(그것도 수리경제학)이 역사학이나 문학과는 가깝게 취급되면서 물리학과는 거리를 지녀야 하며, 경영학이 문과라는 이유에서 공학과는 서로 관련이 없는 분야로 분리되는 뚜렷한 이유는 이 분야들의 학문적 성격 자체만으로는 설명할 수 없는 것이다. 특히 '사회과학' 분야들은 당연히 문과로 분류되지만, 사실 19세기를 통해 경제학, 정치학, 사회학 등이 독립된 분야로 자리 잡으면서 이들 분야들은 인문학과 과학 사이에서 정체성에 대한 고민을 겪었고 이 같은 정체성의 문제는 오늘날도 어느 정도 존속되고 있다. 이들 사회과학 분야들은 인문학 분야들에 대해서는 자기들 분야의 과학으로서의 지위에 대한 우월감과 자부심을 지니는 한편, 자연과학 분야들에 대해서는 그것들보다 더 깊이 있고 실생활과 유관한 문제들을 다룬다는 차별성을 내세웠던 것이다. 사회과학 분야들의 이같은 정체성 문제는 오늘날도 어느 정도 지속되고 있다. 그렇다면 이런 사회과학 분야들을 무조건 '문과'로 분류해 버리는 것은 정체성에 대한 고민을 너무 손쉽고 무책임하게 제거해 버리는 일이기도 하다. 또한 사회과학 분야들을 문과로 강제로 분류하는 일이 실제로 완전하게 진행되지도 못했다. 지리학과 인류학 같은 분야들이 '문과'로 분류된 지 이미 오래되었음에도 이들 분야 안에서 여전히 인문지리학과 자연지리학, 생물인류학과 문화인류학 등의 구분을 하고 있어, 이 분야들을 문과와 이과 중 어느 한쪽으로만 분류하는 것이 실제로 불가능하다는 사실을 증명해 주고 있다.

이러한 문과-이과의 구분은 본질적인 것이 아니고 실체가 없는 것일 뿐만 아니라, 그 구분이 과거부터 있었던 것도 아니다. 학문 분야들이 다루는 대상이 '자연', '사회', '정신' 등으로 뚜렷이 나누어질 수 있으리라는 믿음이 이 구분 밑에 깔린 전제이고 그것이 어느 정도 들어맞는 면이 없는 것은 아니지만, 이 같은 믿음은 오늘날의 사회와 학문을 두고는 엄청난 착각이다. 물론 19세기 후반 현대의 학문 분야들과 그 체계가 형성되던 과정에서 이처럼 편리한 구분이 가능할 것으로 믿어지던 때도 있었지만, 현대에 들어서서 학문 분야들 사이의 경계가 매우 흐려졌고 위와 같은 구분이 전혀 가능하지 않도록 학문의 대상이 지극히 복잡해졌기 때문이다. 그리고 이제는 개별 학문 분야들이 서로 다른 접근법으로 명확히 구분되는 것도 아니다. 오늘날의 수많은 학문 분야들이 한꺼번에 성격이 다른 여러 접근법을 모두 사용해야만 하게 되었다. 또한 19세기 후반에는 사회, 문화 속에서 과학기술의 중요성이 커져 가기는 했지만 오늘날에 비할 바는 못 되었고, 따라서 과학기술을 사회, 문화의 다른 영역들로부터 격리, 제외시키는 일이 오늘날처럼 엄청난 문제를 빚지 않은 측면도 있었는데, 오늘날에 와서는 과학기술이 사회, 문화 속에 속속들이 배어든 상황에서는 그저 맹목적으로 모든 분야를 문과, 이과로 나누는 것은 시대착오적인 무리한 일이 되었다.

물론 나는 학문 분야들을 몇 가지로 분류할 수 있는 틀이 있음을 부정하지 않으며, 문과와 이과의 분류와 비슷한 유형의 구분이 전적으로 불가능하다고 주장하는 것도 아니다. 사실 '인문학'과 '과학' 같은 말들이 의미가 없는 말은 아니며, 그것들은 서로 다른 성격을 지녔고 심지어는 상반되는 성격을 지니기도 했다. 내가 지적하고자 하는 것은 그런 구분 틀이 절대적인 것이 될 수 없어서 그 틀에 맞지 않는 분야들이 있을 수 있다는 것, 따라서 그 구분을 경직되게 적용하면 문제와 폐단이 생긴다는 것이다. 특히 모든 분야를 문과와 이과 두 가지로만 나누려 하기 때문에 폐단이 크다. 각 학문 분야들이 서로 차이가 있음을 인정하고 그것들을 여러 분야로 나누는 것은 가능하고 필요한 일이기도 하다. 예를 들어 수학, 철학, 물리과학, 생명과학, 역사학, 문학, 경제학, 경영학, 법학, 의학 등은 각각 성격이 다른 분야들임이 확실하다. 그러나 문제는 이런 분야들을 굳이 문과와 이과로 묶어서 두 가지로만 구분한다는 것이다. 더구나 설사 이 같은 양쪽으로의 구분이 가능하다고 하더라도 한쪽에 속한 분야나 사람을 완전히 그 한쪽에만 국한시키고 다른 쪽으로부터는 격리시키는 오늘날 우리 사회의 문과–이과 구분의 경직성이 큰 문제를 빚고 있다는 것이다.

문과–이과 구분의 실체와 관련해서 검토해 보아야 할 것 한 가지는 사람들 사이에 널리 퍼져 있고 흔히 접하게 되는 생각으로, '가치'와의 관련 유무가 과학과 인문학을 구분해 준다는 생각이다. '인문학'이 가치와 관련되어 있는 데 반해 과학은 가치와 무관하고 '가치중립적' value–neutral이라는 생각이 그것이다. 물론 이 같은 생각에는 어느 정도 그럴듯한 면이 있다. 그러나 꼼꼼히 따져 보면 그것이 잘못된 생각임이 곧 드러난다. 과학도 문학, 예술이나 다른 학문 분야들과 마찬가지로 인간의 창조적 문화 활동이며, 따라서 인간의 여러 가치가 개입되기 때문이다.[3]

우선 과학이 철저하게 가치의 지배를 받는다고 말할 수 있는 측면이 있다. 인류사상 모든 문화권이 다 과학을 성립시키고 발전시키지는 않았으며, 오늘날 우리의 과학은 서유럽에서만 발전해서 현재에 이르렀다. 이 점은 과학 활동을 지탱, 발전시켜 주는 가치체계가 모든 문화에 공통된 보편적인 것이 아니라 상당히 특수한 것임을 시사한다. 모든 문화권의 사람들이 자연에 관한 지식을 지니는 것은 사실이지만, 우리가 말하는 과학은 그냥 자연에 관한 지식이 아니라 자연에 관한 체계적이고 일관성이 있고 객관적이고 정확한 지식이다. 그리고 서유럽 사회가 바로 그 같은 자연 지식을 추구했기에 과학을 발전시키게 된 것이다. 또한 서유럽인들이 과학 탐구를 통해 유용한 지식을 얻기를 원했고, 신의 창조물인 자연을 정확하게 이해함으로써 신에게 봉사하기를 꾀한 것도 서유럽이 과학을 발전시키는 데 영향을 미쳤다. 바로 이런 특성들이 오늘날 우리의 과학을 탄생시킨 것이다. 만일 이와는 다른 종류의 지식을 추구했다면, 예를 들어 객관적이고 정확하고 유용한 지식이 아니라 미적으로 아름답고 정서적으로 안정을 가져다주는 지식을 필요로 했다면, 전혀 다른 성격의 자연 지식이 생겨났을 것이다. 오늘날의 과학과 같은 정확한 지식보다는 간결하고 조화로운 지식 —— 중세 서양이나 전통 중국의 자연관과 유사한 —— 이 생겨났을 것이다. 이런 의미에서 과학은 가치의 지배를 받는 것이다.

인간의 가치가 과학에 영향을 미치는 것은 이렇게 문화권 전체의 차원에서만이 아니다. 개인의 가치관도 개인의 과학에 영향을 미친다. 예를 들어 한 개인이 과학을 전공으로 택하느냐 아니냐 하는 결정으로부터 시작해서, 과학 분야들 중 어떤 특정한 분야 또는 특정한 문제를 선택하는 데 있어서까지 모두 개인의 가치관이 영향을 미친다. 거기에는 자연 지식에 대한 개인의 취향 외에도 개인이 처한 정치적·경제적·종교적·사회적 상황 모두가 영향을 미치는 것이다.

한편 이러한 면들 외에 가치가 과학에 영향을 미치는 훨씬 더 흥미 있는 측면이 있다. 과학자들이 어떤 과학 이론이나 가정을 받아들이는가 받아들이지 않는가 하는 선택, 또는 여러 이론이나 가정 중에서 어느 것을 받아들이고 어느 것을 받아들이지 않는가 하는 선택에 가치가 영향을 미친다는 것이다. 이 같은 선택은 흔히 생각하듯이 순전히 어느 과학 이론이나 가정이 실제 자연 현상과 더 잘 부합되는가에 따라 기계적으로 결정되는 것이 아니다. 거기에는 일관성, 체계성, 정확성, 간결성, 예측성, 수학화 등의 여러 가치가 개입된다. 여러 이론이나 가정 중에서 한 가지를 선택함에 있어 과학자들은 그것들 중 더 일관성 있고, 더 체계적이며, 더 정확하고 등등의 특성을 지닌 것을 선택하게 된다. 이들 특성들이 과학자들이 이론이나 가정을 선택하는 데 영향을 미치는 가치들인 셈이다.

물론 이런 특성들은 너무나 당연하고 누구나 받아들이는 것들이어서 가치라고 부를 수 없다고 생각할 수도 있다. 그러나 정말 그러한가? 과학에서 추구하는 이들 속성들이 정말 그렇게 당연한 것들인가? 우선 정확도를 예로 들어 생각해 보자. 케플러Johannes Kepler(1571~1630)는 행성의 위치를 계산하면서 끈질기게 남는 단 8분(원주가 360도이고 1도가 60분임)의 오차를 받아들일 수가 없어 원 궤도를 버리고 타원 궤도를 제시했다. 그러나 비록 그렇게 함으로써 그가 더 정확한 수치를 얻어내기는 했지만, 그간 지속적으로 받아들여 오던 편리한 원 궤도 대신 그가 도입한 복잡하고 계산하기 힘든 타원 궤도는 많은 문제들을 빚어냈다. 과연 1도의 몇 분의 1밖에 안 되는 오차를 용납하지 못할 정도의 정확도를 고집하면서 그처럼 많은 문제들을 빚어내는 것이 당연한 일이라고 할 수 있는 것일까? 일관성의 경우를 예로 들어 보아도 마찬가지다. 오늘날의 복잡한 물리학 이론들에 담겨 있는 일관성을 감지하기란 지극히 어려운 일인데, 과연 그렇게 감지하기 어려운 일관성 때문에 그런 복잡한 이론을 선택하는 것이 당연한 일일 수 있는가? 수학화의 경우는 길게 말할 필요도 없다. 모든 사람들이 수학화된 이론을 당연히 선호할 것이라고 생각할 수는 없기 때문이다. 사실 과학자들 중에서도 분야에 따라서는 수학화에 거부감을 느끼는 경우를 얼마든지 찾아볼 수 있다. 그렇다면 오늘날 우리가 지닌 과학과 같은 정확도, 일관성, 수학화를 추구하는 것은 매우 특수한 속성들을 추구하는 일이고, 이 같은 과학 이론을 선택하는 일에는 그런 속성들을 추구하는 매우 특수한 가치 기준이 작용한 것임이 분명하다.

더구나 때로는, 특히 어떤 이론이 무너지고 새로운 이론이 대신 받아들여지는 시기에는, 항상 위에서 든 여러 가치 기준이 서로 배치되고 마찰을 빚는다. 예를 들어 케플러의 경우에서 보듯이, 정확한 것을 택하기 위해서는 간결성이 없어지는 경우가 생긴다. 이때 과학자는 이들 서로 배치되는 가치 기준들을 두고 선택을 해야 한다. 그리고 이렇게 과학 이론을 선택하는 데 개입되는 서로 배치되는 가치 기준들 사이의 선택은 인간의 삶에서 취하게 되는 수많은 가치에 관한 선택과 근본적으로 같은 성격이다. 또한 이들 가치 기준은 시기에 따라 변화한다. 원운동이 갖는 조화와 간결성을 중시하던 천문학자들이 시기가 지나면서 그 같은 조화와 간결함을 잃더라도 더 정확한 것을 추구하는 방향으로 변화하게 되었음을 앞에서 보았다.

그렇다면 과학 이론이나 가정의 선택에 있어서까지 가치가 개입되는 것은 이제 분명해졌고, 가치의 개입 여부 또는 가치와의 유관 여부가 문과와 이과를 구분하는 기준이라고 생각하는 것이 잘못임도 따라서 분명해졌다.

과학과 인문학을 구분해 주는 것으로 흔히 생각되는 그 외의 다른 기준들이 있다. 예를 들어 과학은 객관성의 학문, 인문학은 주관성의 학문이라는 생각도 있지만, 이 역시 잘못된 생각이다. 인문학 또한 얼마든지 객관적일 수 있다. 인문학의 객관성은 과학이 추구하는 '과학적 객관성'과 다른 성격의 것일 따름이다.[4] 따라서 당연히 인문학도 다른 사람들에게로의 전달과 다른 사람들에 의한 이해를 추구한다. 때로는 그렇게 이해하고 이해시키고 전달해야 하는 것의 내용이 지극히 어려운 것일 수도 있지만, 그렇다고 이해와 전달의 노력을 포기할 수는 없다. 나는 그 같은 이해와 전달이 어렵기 때문에 그런 노력을 적당한 선에서 포기하고 오히려 독자나 청중의 부담으로 남겨 두는 저자나 작가들을 경계한다. 특히 그처럼 포기한 결과 남겨진 모호함과 어려움을 자신의 무능이나 철저하지 못함이 아니라 '깊이'라고 속이거나 스스로 착각하는 사람들은 인문학자가 아니라 사이비 인문학자들이라고 생각한다.

또한 과학은 '발견'discovery을 하는 학문이고 인문학은 '해석' interpretation을 하는 학문이라는 견해도 널리 퍼져 있지만, 이 역시 잘못된 생각이다. 두 분야가 모두 발견과 해석의 작업을 함께 수행하는 것이다. 사실 과학 연구에서 발견과 해석이란 서로 분리된 과정이 아니며, 이 두 가지가 함께 일어나는 경우가 많다. 발견이 있고 나서 해석이 진행되는 경우만 있는 것이 아니라, 해석이 발견 과정에 개입하기도 하고 결국은 해석을 얻어야 발견 과정이 완결된다고 볼 수 있는 경우도 있는 것이다. 반대로 인문학 연구들도 많은 경우 발견으로 시작한다. 새로운 자료, 사실들만이 아니라 그 속에 담긴 생각, 개념 등의 발견이 새로운 연구를 시작하게 하는 경우가 많으며, 그것들에 대한 해석 과정에서도 발견이 이루어지는 일이 얼마든지 있다.

과학이 이렇듯 인문학과 여러 성격을 공유하는 것을 제대로 보기 위해서는 '과학'이라는 것이 여러 측면들 — 완성된 과학 지식, 연구, 교육, 응용 등의 실제 과학 활동 등 — 로 이루어진 것임을 이해하는 것이 필요하다. '과학'이라고 하면 흔히 완성된 형태로의 과학 지식만을 생각하게 되지만, '과학'이라는 말은 완성된 지식만이 아니라 그 같은 지식을 생산, 교육, 응용하는 과학 활동들도 가리킨다. 그리고 과학이 객관과 주관, 발견과 해석 중 어느 쪽에 해당하는가 하는 것과 같은 질문은 과학이라는 말로 완성된 지식과 과학 활동 중 어느 것을 지칭하는가에 따라 다른 답이 가능하게 된다. 완성품으로서의 과학 지식은 다른 문화 활동들에서의 완성품들과 그 성격이 확연히 구분될 수 있지만, 그 같은 완성품을 얻어 내는 과정, 활동의 성격은 다른 문화 활동과 그렇게 확연한 구분이 가능하지 않은 것이다. 과학이 객관적이라거나 가치중립적이라고 고집하는 것은 완성된 과학 지식에서 비교적 강하게 드러나는 그 같은 성격을 과학이라는 말 전체에, 따라서 과학자와 과학 활동에까지 적용시키는 무리한 일이다.

4

문과-이과 구분의 폐단 : 제약, 왜곡, 편견, 미신

이렇듯 실체도 없는 문과와 이과의 구분을 모든 학문 분야에 강제로 경직되게 적용하는 우리 사회의 관행은 많은 폐단을 빚고 있다.

(1) 제약과 왜곡

우선 이 같은 구분은 우리 학문 사회가 현대의 다양한 학문이 발전하는 데 제대로 대처하지 못하게 방해함으로써 우리 학문의 균형 있는 발전에 장애로 작용하고 있다.

특히 문제가 되는 것은 사회와 문화가 복잡한 성격을 띠면서 점점 많이 나타나는 복합 학문 분야들의 경우이다. 예컨대 환경학, 정보학, 전산학 등의 새로운 분야들뿐만 아니라 농학, 건축학, 도시계획학, 체육학 등 어느 정도 오래된 분야들도 마찬가지여서, 이 분야들 각각을 문과와 이과 어느 한쪽에 소속시킨다는 것은 많은 문제점들을 빚으며 사실상 불가능하다. 그리고 억지로 구분을 해서 어느 한쪽에 소속시키면 이들 분야 자체의 성격에 큰 제약과 왜곡이 가해지게 된다.

문과-이과의 구분이 근본적으로 불가능함에도 불구하고 무슨 이유에서인가 이미 한쪽에 소속시키는 관행이 자리 잡은 분야들이 그러한 임의적 구분이 초래하는 제약과 왜곡을 잘 보여준다. 예를 들어 우리 학문 사회가 심리학과 지리학을 관습적으로 문과에 속하게 함으로써 이들 분야의 성격이 크게 좁아져 버렸음은 널리 인식되어 있다. 반면에 해양학은 이과에 속함으로써 역시 큰 제약을 받고 있다. 물론 일단 이런 식으로 어떤 한 분야를 문과와 이과의 어느 한쪽에 소속시킨 채 얼마가 지나면 그 같은 소속이 자연스럽게 느껴지게 된다. 그러나 그 같은 느낌은 문과-이과의 임의적인 구분이 그 분야의 범위, 방법, 구성원 등에 제약을 가함으로써 그 분야의 성격 자체를 문과나 이과 한쪽으로 좁혀 왜곡시켜 버렸기 때문에 생기는 것이다.

해양학이 바로 그런 분야의 좋은 예다. 1970년대부터 해양학이 우리 학문 세계에 별도의 학문 분야로 자리 잡기 시작하면서 이과로 분류됨에 따라, 이후 분야 자체의 성격에 이미 큰 제약과 왜곡이 이루어져 버렸기 때문에 이제는 그것이 이과에 속한다는 것이 당연하게 느껴질 정도가 된 것이다. 이에 따라 이제 해양학은 그것이 이과나 문과의 어느 한쪽에만 소속되기 힘든 분야라는 사실을 인식하지도 못하는 경우가 많다. 이는 그 같은 제약과 왜곡이 이미 완벽하게 이루어져 버

렸음을 말해 주며, 그런 점에서 문과나 이과 중 한쪽으로 분류하는 것
이 무리하다는 인식이 계속 남아 있는 심리학이나 지리학의 경우보다
문제가 더욱 심각하다고 할 수 있다. 만일 처음부터 해양학을 이과가
아니라 문과에 소속시켰다면 그 분야가 해양물리학, 해양화학, 해양
생물학만으로 이루어지는 현재의 상황이 가능했을까?

그리고 이것이 어찌 해양학만의 상황이겠는가? 역시 당연하다고 생
각해서 별로 의심을 품지 않는 다른 많은 분야들도 자세히 살펴보면
마찬가지의 제약이 가해졌었음을 알 수 있다. 예를 들어 전산학이 왜
이과여야만 하며 정보학은 또 왜 문과여야만 하는가? 이것들을 각각
이과와 문과로 만듦으로써 이들 분야가 당연히 다루어야 할 얼마나
많은 내용들을 이들 분야로부터 차단시켰으며 그 접근 방법에도 얼마
나 큰 제약을 가했는가? 그렇다면 위에서 언급한 환경학, 전산학, 정보
학, 농학, 건축학, 경영학 등의 분야들을 문과와 이과 중 어느 한쪽에
소속시켰을 때도 같은 식의 제약과 왜곡이 생겨날 것임은 쉽게 짐작
할 수 있다.

그럼에도 불구하고 우리의 학문적 제도나 관습은 이들 분야들도 억
지 구분을 해서라도 한쪽에 집어넣을 것을 강요하고 있으며, 실제로
아무리 부적절하더라도 그와 같은 구분을 거부하는 것은 지극히 힘들
다. 그리고 그 같은 상황에서 위의 분야들은 그때그때 이런저런 이유
에 의해 결국은 이과나 문과 중 한쪽으로 구분되고 있으며, 그에 따라
이들 분야의 내용과 성격도 크게 제약받으며 왜곡되고 있다. 도대체
농학이나 환경학이나 정보학을 문과나 이과 중 한쪽으로 굳이 구분하

는 것이 어째서 필요한 일일까? 어느 쪽을 택하든 그 같은 구분이 이루어 내는 결과는 이들 분야의 내용과 접근 방식을 한쪽으로 제약할 따름이지 않은가?

위에서 든 분야들 외에도 수많은 학문 분야들이 오늘날 점점 복합적인 성격을 띠어 가고 있다. 예를 들어 문학, 역사, 철학 등 전통적인 인문학의 핵심 분야들을 두고 보아도, 이들 분야들은 진정한 인문학이 되기 위해 당연히 우리가 살고 있는 사회와 문화의 모든 영역을 대상으로 해야 한다. 그럼에도 불구하고 문과, 이과의 경직된 구분과 격리의 상황은 문과로 구분된 이 인문학 분야들이 오늘날 사회와 문화에서 가장 중요한 현상인 과학기술을 외면하도록 하거나 제대로 다룰 수 없도록 하고 있다. 또한 경영학의 경우 과학기술, 특히 기술이 점점 가장 중요한 대상이 되고 있음에도 불구하고 우리 사회는 경영학을 문과에 소속시키고 문과-이과의 장벽을 통해 그것을 기술이나 공학, 과학 분야로부터 격리시키고 있다. 그리고 이런 점은 정도의 차이는 있으나 법학, 행정학 등의 경우도 마찬가지라고 할 수 있다.

(2) '문과인'과 '이과인' : 격리, 상호 무지와 편견

문과와 이과의 구분은 학문 분야의 구분으로만 그치지 않고 그에 속하는 사람의 구분으로까지 이어져, 우리 사회의 많은 사람들이 '문과인'과 '이과인'이 각각 따로 있는 것처럼 생각한다. 그러나 모든 사람을 이렇게 문과인과 이과인으로 나눌 수 있다고 생각하는 것은 너무나 억지스러운 발상이다. 한 개인을 하나의 정체성identity만으로 특징짓는 것은 불가능하다. 사람들은 인종, 성별, 종교 등에 따른 정체성뿐만 아니라 직업, 사회적·정치적 입장 등에 따른 여러 가지 서로 다른 범주의 정체성을 갖는다. 그런데 문과−이과, '문과인'−'이과인'의 구분에 깊이 젖어 있는 우리 사회의 수많은 사람들은 문과−이과의 구분이 이들 모든 정체성의 우위에 선 구분인 것처럼 생각하기도 하고, 심지어는 어떤 사람이 문과와 이과 중 어느 쪽에 속하는가에 따라 당연히 그 사람이 위의 여러 측면에서 어느 쪽의 경향을 보여줄 것이라고 생각하기도 한다. 또한 다른 구분들을 함에 있어서는, 예컨대 정치적 진보·보수의 구분이나 사회적·종교적 구분을 함에 있어서는 그러한 구분에 경계가 명확하지 않을 수 있음을 인식하고, 때로는 엄격하게 구분하는 것이 불가능하다는 사실을 받아들이면서도 문과−이과의 구분은 그런 구분들과는 달리 절대적이고 엄격한, 명확한 구분이라고 생각한다.

　물론 적성이 어느 정도 한쪽으로 치우치는 사람들이 있는 것은 부정할 수 없는 사실이다. 그러나 절대적으로 한쪽 적성만 지니는 사람은 극히 드물다. 그리고 설사 그런 사람이 있다 하더라도 그들이 정상적인 인간으로 살아가게 하기 위해서는 그들에게도 균형 잡힌 교육을 하는 방향으로 나아가야 할 것이다. 그런데 우리 사회는 오히려 그렇지 않은 대부분의 사람들까지 강제로 둘로 나누어 어느 한쪽에만 가두어 두고 한쪽으로 치우친 교육을 받기를 강요한다. 그리고 그렇게 가두어 둔 채 오랜 시간이 지나면 수많은 사람들에게서 그들이 당초에는 지니지 않았던 한쪽으로의 치우침이 실제로 생겨나게 되는 것이다.

이렇게 억지로 구분된 '문과인'과 '이과인' 양쪽은 서로 잘 섞이지 않는다. 우리 사회에는 다른 면에서는 공통된 성격을 지닌 사람들, 예를 들어 지적 능력, 출신 계층, 소득 등의 측면에서는 별 차이가 없이 비슷한 사람들이 순전히 문과와 이과라는 구분에 의해 격리되어 서로 소통이 거의 없는 경우가 너무나 많다. 마치 남-여를 격리시키는 "남녀 7세 부동석" 같은 금기禁忌가 문과와 이과 사이에도 존재하는 것처럼, 문과인들은 문과인들끼리, 그리고 이과인들은 이과인들끼리만 만나고 교류하고 생활하며, 다른 쪽 사람들과 함께 있을 때는 이질감을 느끼고 불편해 하기까지 한다.

이에 따라 이들 '문과인'과 '이과인'들은 ── 결국은 우리 사회의 모든 사람들은 ── 상대 쪽에 대해 극도로 배타적인 태도를 취하게 된다. 때로는 자신이 속한 쪽이 아닌 쪽과 자신은 아무런 상관이 없다고 생각하기도 한다. 단단한 장벽에 의해 자신의 쪽과 격리된 상대 쪽이 자신과는 아무런 관련도 있을 수 없다는 생각인 것이다. 따라서 이들은 상대 쪽에 속하는 분야는 자신들이 이해할 수도 없고 이해할 필요도 없다는 생각을 쉽게 하게 되고, 이는 상대 쪽에 대한 심한 무지를 낳을 뿐만 아니라 나아가 그 같은 무지를 당연시하게 만든다. 그리고 그들은 상대 쪽 분야에 관해 무지할 뿐 아니라 그 활동이나 종사자들의 성격에 대해서도 무지하게 되며, 이 같은 무지는 결국 상대 쪽에 대한 편견으로 이어지게 된다.

심한 경우에는, '문과인'들은 이과에 속하는 분야들이 인간의 가치나 감정, 상상력 같은 것과는 상관없이 무미건조하고 기계적이면서 어렵기만 하며, 이과에 속한 '이과인'들도 그와 같은 속성을 지녀 맹목적이고 정확하기만 할 뿐 인간과 사회의 복잡하고 다양한 문제들에는 무감각하거나 무지할 것이라고 생각한다. 이렇게 '문과인'들이 '이과인'들에 대해 지니는 편견은 다양하지만, 몇 가지 흔한 예들을 보자면, '문과인'들은 우선 '이과인'들이 정치나 사회 문제에 무관심하고, 어떤 견해를 지닐 때도 순진하고 단순하며 세련되지 못할 것이라고 생각한다. '문과인'들은 또한 과학자들이 순전히 자기 개인의 호기심을 충족시키기 위해 엄청난 예산이 들거나 엄청난 부작용이 생길 연구를 한다고 생각하기도 하며, 과학적인 작업은 기계적이어서 단순히 원리를 따르기만 하면 되는 것이므로 누가 해도 마찬가지의 결과를 얻어 내는 작업이라고 생각하기도 한다.[5]

반면에 '이과인'들에게는 문과에 속하는 분야들이 명확한 기준 없이 잡다하고 부정확한 것으로만 이루어진 것처럼 보이고, 그 같은 분야에 종사하는 사람들 또한 정확히 아는 것은 없이 능란한 말장난을 통해 얼버무리기나 하는 부류의 사람들로 비치는 일이 흔하다. 사실 과학혁명기 새로운 과학의 주창자인 베이컨Francis Bacon(1561~1626)이 당시까지의 학문이 지닌 폐단에 대해 언급하면서 제기한 네 가지 우상idol들 중 한 가지인 '시장'의 우상이 '언어'를 지칭했다는 데서도[6] '이과인'들이 지니는 '문과인'들에 대한 이 같은 느낌의 근원을 찾아볼 수 있다. 물론 이런 생각을 하는 과학자들은 특이하고 이해하기 힘든 전문 용어들을 사용하는 자신들이 일반인들의 눈에는 마찬가지로 문제투성이로 비칠 것임을 인식하지 못할 것이다.

사실 문과인들과 이과인들 사이에 존재하는 이 같은 편견의 이면에는 상대방에 비해 자신이 속한 쪽을 우월하게 생각하는 경향도 볼 수 있지만, 반대로 자신들에게는 없는 능력을 지닌 상대방 쪽에 대한 경외심과 콤플렉스도 존재한다. 그러나 두 가지가 다 상대방에 대한 제대로 된 이해가 아닌, 무지와 편견이기는 마찬가지다. 결국 문과와 이과에 속한 사람들의 상대 쪽에 대한 이 같은 무지와 편견은 일생을 두고 그들이 학문을 대하는 태도에 큰 제약으로 작용하게 된다.

우리 사회 전체를 두고 더 심각한 것은 이 같은 상호 무지와 편견이 일반 문화로부터 과학기술의 유리 상태를 크게 심화시켰다는 점이다.* 폐단은 양쪽 모두에 나타난다. 그간 주로 일반 지식인들의 과학기술에 대한 무지함이 많이 이야기되어 왔지만, 과학자들의 역사나 철학 등에 대한 무지도 심각한 것이다. 물론 과학기술이 사회의 다른 요소들과 분리되어 별도로 존재하며 발전하는 것이고 따라서 과학기술자가 아닌 일반 사람들은 과학기술에 관심을 갖지 않아도 되고 이해할 필요는 더욱더 없다는 생각이 우리 사회에 널리 퍼져 있지만, 반대로 과학기술자들은 자신들의 분야가 사회와 문화의 여러 요소로부

---

* 물론 이 같은 유리 상태는 우리 사회에서만 나타나는 것은 아니어서, 19세기 이래 급격히 심화된 과학기술의 전문화 과정을 거치면서 현대의 모든 사회에서 과학기술의 뚜렷한 특성으로 자리 잡았다. 하지만 우리 사회에서는 문과–이과 간의 장벽과 상호 무지, 편견 때문에 이러한 유리 상태가 한결 심해진 것이다.

터 초연한, 완전히 격리된 분야이며 따라서 자신들은 사회의 제반 요소들과는 아무 상관도 없다고 생각하는 일이 많다. 심지어 이과에 속한 자신들은 자신들이 살고 있는 사회와 문화 일반에 대해 무관심하거나 무지해도 좋고 오히려 그것이 정상이라는 생각까지 쉽게 찾아볼 수 있다. 문과-이과의 장벽이 빚어낸 이 같은 생각들은 일반인들에 대한 과학기술의 장벽을 더욱 두껍게 만들고 있으며, 일반인들로 하여금 그 같은 장벽을 당연한 것으로 여기도록 만들고 있다.

(3) 과학기술에 대한 '미신'들

이런 식으로 과학기술이 일반인들로부터 분리된 결과로 과학기술이 일반 지식인들의 머릿속에서 '신비화'되고, 그에 따라 과학기술과 관련된 잘못된 믿음들, '미신'이라고밖에 부를 수 없는 맹목적인 믿음들이 널리 퍼져 있다. 우선 '과학주의'scientism라고 부를 수 있는, 과학의 효과에 대한 맹신이 있다. 그리고 이와는 반대로 '반과학주의'라고 부를 수 있는, 과학기술의 부작용과 폐해를 지나치게 강조하는 풍조도 흔하다. 과학은 무조건 어렵고 이해할 수 없는 것이라고 믿는 과학의 어려움에 대한 미신도 있고, 과학이 인간이나 사회의 문제들과는 아무 관련이 없는 것이라는 과학의 '무관성'irrelevance을 믿는 미신도 있다.

또한 이것들보다 더 큰 미신이 일반인들 사이에 널리 퍼져 있는데, 바로 자신들이 문과-이과 중 '문과'에 속하고, 따라서 자신들은 인문학과는 같은 쪽이면서 과학기술과는 대립, 상반되는 쪽에 있다는 믿음 — 착각 — 이 그것이다. 사실 따지고 보면 일반 대중이 과학보다 인문학의 내용이나 인문 정신에 더 친밀한 것은 아니다. 오늘날 인문학도 그 내용이 고도로 전문화되어 일반 대중이 친숙하기 힘들 뿐만 아니라, 전면적으로 실용·효과 위주로 치닫는 오늘날 한국 사회의 일반인이 과학기술보다 인문학에 정서적으로 더 친밀한 느낌을 지니고 있다는 것은 이상한 일이다. 이 같은 착각 역시 아마도 경직된 문과-이과 구분이 빚어낸 실체 없는 믿음들 중의 하나일 것이다.

그러나 일반인들이 과학기술에 대해 지니고 있는 가장 큰 미신은 과학기술자가 아닌 — '이과'가 아닌 — 일반인들은 과학기술을 피하면서 살아 나갈 수 있다는 믿음이다. 사실 일반 대중만이 아니라 지식인들과 학자들 사이에도 과학기술을 공부하거나 이해하지 않고 살아갈 수 있다는 생각이 널리 퍼져 있다. 실제로 많은 사람들이 고등학교를 졸업하고 '문과'에 속하는 분야에 진학하면서 이제 과학으로부터는 완전히 해방되었고 더 이상 상관없이 살 수 있다고 생각했다는 이야기들을 한다. 그런데 그런 사람들은 대부분 사실은 그렇지 않더라는 고백을 덧붙인다. 일을 하고 생활해 나가면서 세상이 그럴 수 있도록 해 주지 않았기에 어쩔 수 없었다는 것이다. 사회와 문화의 모든 영역에 과학기술이 속속들이 스며 들어와 있는 오늘날 과학기술을 피하면서 살아 나갈 수는 없게 되어 버린 것이다. 그럼에도 불구하고 대학에서 학문을 하는 사람들 중 많은 사람들이 아직도 과학기술을 피하면서 지낼 수 있다고 생각하고 실제로 그렇게 하면서 지내고 있다. 어떤 문헌을 다루다가 과학기술과 관련된 내용이 나오면 그것이 그 문헌에서 어떤 의미를 지니고 자신의 연구 주제와 어떻게 연관되는가를 따지지도 않은 채 검토하지도 않고 그냥 넘어가는 경우가 너무도 흔하다. 심지어 자신의 연구 대상인 문헌에서 과학기술과 관련된 내용이 나오는 부분이 분량이 많아서 자신이 검토해야 할 분량이 적어져서 기뻤다는 이야기를 하는 연구자를 접하게 되는 경우도 있었다. 문과-이과의 견고한 장벽, 그리고 그에 따라 과학기술은 자신과는 상관없는 것이라는 '미신'이 그 연구자로 하여금 자신이 다루는 인물이 과학기술에 대해 왜 그렇게 많은 분량을 할애해서 썼을까 하는 당연한 문제마저 생각하지 않도록 한 것이다.

과학기술이 인간 생활의 여러 면에서 극히 중요한 위치를 점하고 깊은 영향을 미치는 현대 사회에서 많은 사람들이 이 같은 '미신'들에 젖어 살아가고 있는 것이 얼마나 우려할 상황인가는 더 말할 필요가 없겠다. 어려서부터 컴퓨터와 휴대전화 등 첨단 장치들을 접하며 자라 온 어린이들에게서는 과학기술에 대한 장벽이 뚜렷하게 눈에 띄지 않는다는 것이 다행이다. 오히려 이들은 과학기술에 대해 친밀감과 호감을 가지고 있는 경우가 많다. 그러나 문제는 이런 어린이들이 학교와 학문 세계의 환경 속으로 점점 들어가면서 상황이 급격히 바뀐다는 사실이다. 특히 고등학교에서 파묻히게 되는 대학 입시 공부가 과학기술에 대한 호감과 친밀감을 앗아가 버리고, 문과-이과의 경직된 구분이 이들의 머릿속에 견고한 장벽을 쌓는다. 그리고 대학에 진학하면서는 위에서 본 학문 세계의 견고한 장벽과 오랜 관행에 완전히 물들어 엄청난 편견과 무지 속에서 생활하는 것을 자연스럽게 여기게 된다. 어쨌든 이 같은 미신이 널리 퍼져 있기 때문에 '과학기술의 시대'라고 부를 수 있는 오늘날 일반 지식인들이 과학에 대해 지닌 기본적인 지식은 오히려 과거보다 더 줄어들었다.

5

역사적 배경

우리 사회에서 문과-이과 구분의 경직성이 빚은 이 같은 상황은 워낙 유난해서 그 자체가 흥미 있는 역사학적, 사회학적 또는 사회심리학적 연구 대상이 될 수도 있겠다. 특히 이런 상황이 자리 잡은 역사적 배경을 살펴보는 일이 흥미 있을 것이다. 그러나 그러한 연구는 이루어지지 못했다. 예를 들어 이 구분이 언제 우리나라에 도입되었는지에 대해서도 분명히 알기 힘들다. 1924년 경성제대京城帝大의 예과豫科는 이 같은 구분을 하고 있었다. 일본의 대학들에서는 이보다 훨씬 전에 이 구분을 채용했을 것이라고 짐작할 수 있지만, 일본의 경우 현재 문과-이과의 구분이 우리나라처럼 심하지 않다.

문과-이과 구분이 우리나라에 처음 자리 잡은 과정에 대해 제대로 연구한 것은 아니지만 얼마간 짐작은 해볼 수 있다. 이 구분이 처음 도입된 것은 아마도 당초 진로 교육에서 수많은 선택 가능성을 열어 두었을 때 생기는 행정·재정·인력의 부담 때문이었을 것이다. 학생들에게 신축성 있게 많은 선택 가능성을 허용하게 되면 독특하거나 특별한 진로를 선택하는 학생에게는 편리했겠지만, 학교와 교사, 특히 학교 행정과 교육 행정 당국에는 불편했을 것이다. 그에 반해 그냥 문과−이과로 나누어 모든 학생들을 획일적으로 이분법의 테두리에 억지로 집어넣어 가두어 두는 것은 학생들에게는 엄청난 제약이자 속박이었겠지만, 운영하기에는 편리했을 것이다. 그리고 시간이 가면서 모든 사람이 이 엄청나게 왜곡된 제도에 익숙해져 버리게 되면서 차츰 이 구분이 자연스럽게 느껴지게 되고, 당연한 것으로까지 생각되었을 것이다.

이제 이 구분 및 그 유래를 짚어 보기 위해 동서양의 역사를 잠깐 살펴보도록 하자.

먼저, '문'文과 '이'理라는 두 개념이 중국 전통 문화에서 지녔던 의미를 생각해 볼 수 있다. 이 두 개념은 양쪽 다 오랜 역사를 통한 진화 과정을 거쳤고, 정확히 정의할 수는 없는 개념들이다.[7] 그러나 대체로 보아 '문'은 '문화', '전통' 같은 것들을 가리키는 데 반해 '이'는 '근본 원리'나 '원칙' 같은 것을 지칭했다고 말할 수 있다. 따라서 '이'는 '문'보다는 더 분석적이고 철학적인 개념으로 생각되었고, '문'이 대체로 정신, 가치, 사회, 문화 등 인간 세계의 것들을 주된 대상으로 한 데 반해 '이'는 '천'天, '지'地, '만물'萬物을 포함한 자연 세계까지도 망라했던 것으로 볼 수 있다. 그렇다면 이 두 개념의 차이가 오늘날의 문과–이과 구분과 직접 연결되지는 않았지만, 이 구분과 얼마간은 통한다고 생각할 수도 있겠다.

그러나 중국 전통에서 '문'과 '이'는 서로 대립되는 개념은 아니었고 근본적으로 서로가 서로를 포함할 수 있는 개념들이었다. 물론 송대에 '이'라는 개념이 신유학의 핵심 개념으로 자리 잡는 과정에서 그 과정을 주도한 사람들은 '문'과 '이'의 대립 같은 것을 생각하기도 했다. 예를 들어 소식蘇軾(1036~1101) 같은 사람이 '문'에 치중함으로써 제대로 '이'를 추구하지 못했다 하여 비판한 주희의 머릿속에는 그 같은 대립 관계가 들어 있었다고 볼 수 있다.[8] '문'에 대한 이 같은 비판은 주희의 영향이 매우 컸던 조선 시대 성리학性理學에도 꽤 널리 퍼진 경향이었다. 그러나 '문'에 대한 주희의 비판은 전통, 멋, 아름다움 등 '문'을 추구하는 데 지나치게 빠져듦으로써 도덕적인 삶의 궁극적 원리인 '이'의 추구를 게을리하는 데 대한 것이었을 뿐, 인간 세계와 자연 세계의 구분과는 관계가 없는 것이었다.

사실 '문'과 '이'는 인간 세계와 자연 세계를 각각 대상으로 하는 것이 아니라 '문', '이' 양쪽 모두가 인간 세계와 자연 세계 전체를 포괄하는 개념이었고, 특히 많은 사람들에게 '이'를 추구하는 것은 자연 세계보다는 인간과 사회의 문제를 대상으로 한 것이었다. 결국 동양의 전통에서 '문'과 '이'라는 개념은 서로 대립되는 것이 아니었으며, 그것들을 굳이 구분한다고 해도 그 구분은 자연 세계에 대해 다루는 분야들을 한쪽에 놓고 그 외의 모든 분야들을 다른 쪽에 놓아 서로 구분하는 오늘날의 문과–이과 구분과는 전혀 성질이 다른 것이었다. 따라서 3장에서 더 자세히 다루겠지만, 고대 경전經典이나 정사正史에 자연 현상이나 과학기술 전문 지식과 관련된 내용이 나올 때 전통 중국의 학자들이 이를 회피하지 않고 논의했던 것은 당연한 일이었다.

서양의 전통 속에도 문과 – 이과 구분과 비슷한 것이 존재했지만, 역시 오늘날 우리나라에서만큼 그 정도가 심각한 것은 아니었다. 서양에서 '문과'와 '이과'에 해당되는 말이 있다면 아마도 '인문학'humanities — 또는 '인문주의'humanism — 과 '과학'science — 또는 '과학기술' — 일 것이다. 앞에서도 이야기했듯이, 이와 같은 분리는 서양에서 과학혁명기에 시작되었고 그 후 과학이 점차 전문화되면서 일반 지식인들로부터 유리되어 갔다. 로크John Locke(1632~1704)가 자신이 이해할 수 없었던 뉴턴이 지은 『프린키피아』[9]의 어려운 수학적 내용이 신뢰할 수 있는 것인지 호이겐스Christiaan Huygens(1629~1695)에게 질문한 일은 과학 지식이 일반 지식인들로부터 유리되기 시작했음을 보여주는 상징적인 예라고 할 수 있겠다. 그러나 이 예를 다시 살펴보면, 당시까지는 아직 유리 상태가 완전히 고착되지는 않았기에 로크가 그 같은 관심을 보였던 것이라고 할 수 있다. 실제로 18세기를 통해 전문화되어 가는 과학 지식에 대한 일반 지식인들의 관심은 지속되었다. 계몽사상가라고 불리는 볼테르, 달랑베르Jean Le Rond d'Alembert(1717~1783) 같은 사람은 물론 철학자 칸트Immanuel Kant(1724~1804)도 당시의 과학 지식에 통달해 있었으며, 태양계의 생성을 설명하는 '성운설' nebular hypothesis이라는 가설을 제기하기도 했다.[10]

그러나 19세기에 이르러 이 같은 유리 상태가 심해지고 차츰 고착화되어 갔다. 그리고 그 같은 유리 상태의 고착과 함께 과학과 인문학 양쪽에 종사하는 사람들 사이에 대립 상태 비슷한 것이 생겨났다. 당시 새로 부상하던 과학기술이 지적인 우위와 실용적 가치를 내세우는 데 반해 인문학 또는 인문주의가 고전과 교양 위주 교육의 도덕적 우위를 선언한 것이 그러한 예였다.[11] 이는 결국 과학기술에 대한 전통적 인문학자들의 우월감과 반감이 표출된 것이라고 볼 수 있다. 한편 인문학자들에게서는 이와는 상반되는 태도도 찾아볼 수 있었다. 전문 과학 지식에 대해 지니는 과학자들의 전문성을 인문학자들이 존중했던 것이다. 그러나 이 같은 존중은 다른 한편으로는 일반 지식인들이 전문 과학 지식을 전문 과학기술자들에게만 맡기고 자신들의 관심 대상에서 제외시킨 채 무시해 버리는 효과를 빚어내기도 했다.

과학기술이 일반 지식인으로부터 유리된 이 같은 상태는 특히 영국에서 심했다. 그런 면에서 그 같은 유리 상태의 문제들을 지적한 『두 문화』의 저자 스노우Charles P. Snow가 영국인이었다는 점이 이해가 간다. 이러한 영국의 상황은 영국 교육제도가 조기 전문 교육의 경향을 지니기 때문에 생겨났다고 할 수 있다. 한편 이처럼 영국에서 과학기술의 유리 상태가 심한 것은 영어 '사이언스'science라는 말의 의미에도 반영되어, 1860년대에 들면 'science'라는 말이 자연과학만을 지칭하는 의미로 자리 잡는데, 이는 이 말이 프랑스어의 '시앙스'science 나 독일어의 '비센샤프트'Wissenschaft가 갖는 의미에 비해 훨씬 좁은 의미를 지니게 되었음을 보여준다.*

이 같은 과학의 유리 상태 속에서 이 시기 영국에서는 과학의 학문적 가치가 제대로 인정받지 못하고 있었다. 예를 들어 과학이 '신사' gentleman 교육을 목표로 하는 영국의 전통적 대학 교육 과정의 일부가 되지 못하고 있었던 것이다.[12] 당연히 이런 상황에 대한 과학자들로부터의 비판과 반격, 그리고 그에 따른 논쟁도 있었다. 예를 들어 '과학과 문화'Science and Culture라는 제목으로 1880년에 행한 강연에서 헉슬리Thomas H. Huxley(1825~1895)는 과학 교육의 중요성을 강조하면서 전통 교육 과정의 그 같은 상황을 비판했다. 2년 후 아널드Matthew Arnold(1822~1888)는 '문학과 과학'Literature and Science이라는 제목으로 1882년에 행한 강연에서, 헉슬리에 답하면서 뉴턴의 『프린키피아』나 다윈Charles Darwin(1809~1882)의 『종의 기원』Origin of Species 같은 과학 서적들을 '문학'literature의 영역 속에 포함시켜야 한다고 했는데, 그럼에도 불구하고 그는 여전히 문학 교육, 특히 고전 문학 교육의 우위를 주장하고 있었다.

이렇게 보면 양쪽으로의 구분과 대립, 그리고 한쪽이 상대 쪽에 대해 느끼는 우월감, 반감, 때로는 열등감 같은 것들은 이때쯤부터는 서양의 전통에도 존재했고, 어떤 면에서는 이것이 오늘날 우리 사회의 문과-이과 구분과 비슷한 것이라고 볼 수도 있겠다. 그러나 자세히 살펴보면 이 구분 역시 문과-이과 구분과는 본질적으로 다른 것이다. 여기서 특히 주목해야 할 것은 이렇게 과학기술과 대비된 것이 우리

---

* 한편 'scientist'라는 말은 이보다 먼저 1830년대와 1840년대에 자연과학에 종사하는 전문 가들을 지칭해서 사용되었다.

의 '문과'와 같은 것이 아니라, 그보다는 훨씬 좁은 범주의 '인문학'이었다는 사실이다. 인문학이 대항했던 것은 과학기술만이 아니라 실용성, 전문성을 중요시하는 당시 문화와 교육의 새로운 흐름 전체였고, 굳이 양쪽으로 나누자고 들면 우리가 문과에 소속시키는 대부분의 사회과학 분야들이나 직업 학문 분야들도 당시로서는 인문학의 반대쪽에 속했을 것이다. 실제로 고전 언어 위주의 인문학 교양 교육에 대항해서 이 시기에 주창된 새로운 교육은 실용적 과학기술과 아울러 현대 언어들의 교육을 강조하기도 했다. 인문학과 과학기술의 차이 및 대립 역시 교육의 목적과 그 강조점의 차이를 나타내는 것이었을 뿐, 학문 전체를 양쪽으로 나누는 문과-이과의 구분과는 본질적으로 다른 성격이었던 것이다. 또한 일반 지식인들에게서 과학기술의 유리 상태가 실제로 오늘날 우리 사회에서처럼 심하게 나타났던 것도 아니었다. 과학기술의 유리 상태가 가장 심했던 영국의 경우에도 케임브리지Cambridge 대학의 교과 과정에서는 수학이 큰 중요성을 차지하고 있었으며, 정치가나 문인들이 과학 실험과 연구에 종사한 경험들을 이야기하는 경우를 자주 접하게 된다.[13]

결국 동서양 전통 모두에서 문과-이과 구분과 비슷해 보이는 구분이 없었던 것은 아니지만, 어느 쪽도 오늘날 우리 사회에서 보는 것 같은 경직된 성격의 구분과는 관계가 없는 것이었다. 오늘날의 우리 학문 사회가 지극히 인위적이고 임의적인 문과-이과 구분에 이렇게 철저하게 얽매어 있을 역사적 근거란 어디에도 없는 것이다.

실체도 없고, 역사적으로도 근거가 없는 문과-이과의 임의적 구분이 이렇게 지탱된 데는 물론 몇 가지 간접적인 요인들이 기여했을 것이다. 먼저 쉽게 생각할 수 있는 것이 오늘날 우리 사회에서 과학이 지니는 외래성外來性이다. 오늘날 우리의 과학은 거의 전적으로 서양에서 유래한 것이며, 과거 우리 전통 사회가 지니고 있던 천문天文, 역법曆法, 수학〔算〕, 율려律呂(和聲學), 의학, 풍수風水 등의 과학 전통들로부터는 철저히 단절되어 있다. 물론 이 같은 외래성은 과학 분야에만 국한된 것은 아니어서 우리 현대 문화의 거의 모든 영역에서 찾아볼 수 있지만, 과학 이외의 분야들에서는 전통과의 단절 정도가 덜하거나 적어도 덜하다고 느껴지고 있다. 과학 이외의 분야들에서는, 전통 사회에서 그 분야들에 해당했던 분야들이 현재의 그 분야들의 활동이나 내용과 완전히 무관하다고 생각되지도 않으며, 많은 경우에는 현재도 행해지고 있고 때로는 전통과의 연결이 시도되기도 하기 때문이다. 그렇다면 이 같은 일을 생각조차 할 수 없는 과학 분야의 외래성은 이들 분야에 비해 훨씬 철저하고 뚜렷한 셈이다.

그런데 과학 분야에서 나타나는 전통과의 이 같은 단절과 외래성이, 그리고 그것이 과학 분야에서 특히 뚜렷하고 철저하다는 인식이, 우리 사회의 일반인들로 하여금 과학 분야로부터 심한 이질감을 느끼게 하고 과학을 문화의 다른 영역들로부터 유리시키는 결과를 빚었다. 물론 위에서 보았듯이 전체 문화 속에서 과학이 이질적이라는 느낌은 과학이 전문화되고 일반 지식인들이 이해할 수 있는 수준을 넘어서 버리면서 현대 과학이 지니게 된 일반적 속성이어서, 우리 사회만이 아니라 어느 현대 사회에서나 마찬가지로 찾아볼 수 있다. 그러나 과학이 우리의 문화적 전통과도 완전히 단절되었다는 인식은 우리 사회에서 과학과 일반 문화 사이의 분리 상태를 더욱 심하게 했고, 그에 따라 과학기술의 유리 상태가 우리 사회에서 특히 심각해졌다.

전통과의 단절만이 아니라 개화기 우리 선인들이 서양 과학을 도입할 때 취했던 '동도서기론'東道西器論이라는 독특한 입장 또한 과학기술이 일반 문화로부터 유리되는 데 기여했다. 동양의 정신, 가치, 문화〔'東道'〕는 그대로 살린 채 서양으로부터 실용적이고 물질적인 도구〔'西器'〕인 과학기술을 받아들이자는 생각이 그것이다. 서양 열강의 무기 및 기술의 우월함과 그것이 주는 위협을 통감한 19세기 한국의 지식인들은 전통적인 동양의 가치와 문화는 근본으로서 유지한 채로 나라를 부유하고 강하게 하는 수단으로서 서양의 과학기술을 이용하려 했던 것이다. 이 같은 생각은 동아시아 세 나라에 공통적으로 나타났으나,* 그 영향은 세 나라 중 한국에서 가장 깊고 지속적이었다. 서양의 과학기술이 순전히 실용적이기만 한 도구에 불과해 서양 문화의 다른 요소들과 분리해서 별도로 받아들일 수 있다는 ─ '서도'西道와 분리시켜 '서기'西器만을 받아들일 수 있다는 ─ 믿음이 지속되었던 것이다. 그리고 과학기술을 순전히 도구로만 생각하는 이 같은 인식의 결과 한 가지는 과학기술이 한국 문화 전반에 완전히 동화되지 못하도록 했다는 점이다. 많은 한국인들에게 과학기술은 단순히 외래의 ─

---

* 중국에서는 '중체서용'(中體西用), 그리고 일본에서는 '화혼양재'(和魂洋才)라고 불렸다.

서양의 —— 것일 뿐만 아니라 어쩐지 '문화적'이 못 되며, 심지어는 '지성적'이지도 않은 것처럼 비쳐지고 한국 문화와 학문의 다른 영역들로부터 대체로 유리된 상태에 처해지게 된 것이다.[14]

6

모색과 전망

그렇다면 어떻게 할 것인가? 이 책의 첫 번째 장인 이 장의 목적은 주로 현재 우리가 처한 상황, 즉 과학기술이 일반 문화로부터 심하게 유리되어 있는 상황이 지니는 문제점들을 지적하는 데 있고, 무슨 해결 방안들을 제시하자는 것은 아니다. 마지막 4장에서 해결책과 앞으로의 전망에 대해 얼마만큼 다룰 것이다. 그러나 이 장의 논의를 마치면서 몇 가지 이야기를 할 수 있겠다.

먼저, 당연한 이야기지만 교육의 중요성을 지적할 수 있다. 이는 교육을 통해 문과-이과의 구분이 임의적이고 실체가 없다는 사실을 인식시켜야 한다는 뜻만이 아니다. 실제로 그 같은 인식에 바탕한 교육 과정, 즉 문과-이과 구분의 장벽으로부터 해방된 교육 과정을 가지고 학생들을 교육시켜야 한다는 것이다. 순전히 관습에 의해 지속되면서 심각한 문제를 빚고 있는 이 같은 상황을 타파하고 제대로 된 균형 잡힌 중등 교육을 시행해야 할 당위성은 너무나 명백하다.

그러나 이 같은 나의 주장은 그것과 관련되어 보이는 몇 가지 다른 주장들과는 다른 것임을, 따라서 내가 다음과 같은 몇 가지 것들을 주장하는 것은 아님을 밝혀 둘 필요가 있다. 우선 나는 모든 고등학생들에게 모든 교과목을 똑같이 교육시키자고 주장하는 것이 아니다. 내가 비판하는 것은 고등학교에서 모든 학생들을 문과와 이과로 나누어 획일적인 두 유형 중 한 가지 유형의 교육을 선택하도록 강요하는 것이다. 나는 이 같은 제도를 폐지해야 한다고 생각한다. 폐지한 후의 교과 과정을 구체적으로 어떻게 할 것인가는 여기서 내가 논의할 수 있는 성질의 것이 아니고 구체적인 검토, 연구 과정을 거쳐야 할 것이다. 그러나 중요한 것은 너무 오래 시행되어 습관화되고 모든 사람들이 깊이 젖어 있는 제도를 바꾸는 데 대한 저항이 있을 것은 당연하지만, 일단 폐지한다는 원칙을 정한 후 그로부터 후퇴하거나 타협을 해서는 안 된다는 점이다. 예컨대 문과–이과 구분을 폐지하면 '문과 학생'에게 피해가 온다거나 '이과 학생'에게 유리하다는 식의 저항이 있을 것이다. 그러나 '문과 학생', '이과 학생'이 실제로 존재하는 것은 아니다. 이들은 문과나 이과로 억지로 구분해서 가두어 놓았기에 생겨난 것이고, 문과–이과 구분에 의해 불균형한 교육을 받음으로써 생겨난 피해자들이다. 그 같은 피해자들을 계속 만들어 낼 수는 없다.

물론 여러 영역 중에서 어느 한쪽에 더 적성을 지니는 학생들이 있을 수 있다. 예를 들어 수리, 언어, 종합, 분석, 미적 감각, 감정 등 여러 영역에서 학생들의 적성은 저마다 다르다. 그러나 이 같은 다양한 적성들을 보이는 학생들을 문과와 이과 양쪽으로만 나눌 수도 없고, 더구나 나눈 후에 한쪽에만 가두어 둔다는 것은 옳지 않은 것이다. 일단 한 분야에 관심을 가진 학생을 그 분야가 속한 문과나 이과 어느 한쪽에 속하는 분야들에만 관심을 갖도록 제약하지 말고, 학생의 관심과 적성에 따라 얼마든지 다양한 선택을 할 수 있도록 해야 한다. 예를 들어 철학에 관심을 가진 학생이 수학을 함께 공부하고, 물리학에 관심을 가진 학생이 경제학을 함께 공부하며, 경영학에 관심을 가진 학생이 공학을 함께 깊이 공부하도록 할 수 있는 다양한 교육 과정이 필요한 것이다.*

그리고 이와 관련된 문제이고 앞에서도 이야기한 내용이지만, 내가 모든 학생들의 전공 선택 시기를 늦추자고 주장하는 것도 아니다. 물론 나는 현재처럼 대학에 진학하기에 앞서 고등학생 시기에 전공을 선택하는 것이 여러 가지 폐단을 지닌다고 생각한다. 그러나 문과-이과의 경직된 구분과 강제적 선택이 빚는 문제는 학생들로 하여금 언제 자신의 전공을 정하도록 해야 하는가, 즉 대학 입학 이전 고등학생 때 정하도록 해야 하는가, 아니면 대학에 입학해서 몇 년을 수학한 이

---

* 이를 위해서는 재정 확보, 교사 수급 등 실제적인 문제가 따를 것이므로 그것을 위한 투자와 대비가 있어야 할 것이다. 그러나 이를 핑계로 문과-이과 구분의 철폐를 계속 미루어 불균형적이고 왜곡된 교육을 지속할 수는 없다. 일단 철폐하여 모든 학생들에게 한쪽에 치우치지 않고 균형 잡힌 교육을 시키면서 차츰 여건에 따라 다양한 선택의 기회를 주는 방안을 찾아야 한다.

후에 정하도록 해야 하는가 하는 문제와는 별개의 것이다. 학생에 따라서는 고등학교 시절에 이미 장래 자신이 물리학, 경제학, 경영학, 전산학 또는 해양학 등 어느 한 분야를 전공하겠다고 정할 수 있고, 그것이 문제가 되는 것은 아니다. 일찍 어느 한 분야에 관심이 집중되거나 뚜렷한 적성을 보이는 학생에게는 그 분야에 일찍 전문적으로 접하도록 하는 것이 그 분야의 전문가로 성장하는 데 도움이 될 수 있다. 문제는 학생이 선택한 분야를 문과나 이과 어느 한쪽으로 구분하고 학생을 그 한쪽 테두리 안에 집어넣어 관심과 공부의 폭을 좁혀 버리는 데 있는 것이다. 예를 들어 오늘날 우리 사회에서와 같은 경직된 문과-이과 구분 체제하에서는, 경제학 전공을 희망하는 학생은 '문과'라고 해서 나중에 경제학을 공부하는 데 필수적일 수학을 등한시하고, 여러 면에서 경제학과 비슷한 방법을 많이 쓰는 물리학을 무시하게 되며, 또한 경영학 전공을 희망하는 학생 역시 '문과'라고 해서 장래 자신의 분야에서 필수적이 될 공학 및 기술에 대한 관심마저 차단당한다.* 반대로 전산학이나 해양학을 전공하겠다는 학생들은 그 분야들이 '이과'라고 해서 철학이나 사회과학 분야들을 무시하게 된다. 이런 문제들은 이 학생들이 전공을 너무 일찍 택해서 생기는 문제가 아니라, 모든 분야를 문과나 이과 양쪽으로 구분하고 그 둘 사이에 엄격한 장벽을 두기 때문에 생기는 문제인 것이다.

　물론 이 같은 교육 과정의 변화만으로는 우리 사회에 깊숙이 배어 있는 장벽과 편견, 왜곡과 미신을 제거하는 데 충분할 수 없다. 우리 사회 모든 사람들의 노력이 필요한 것이다. 당연히 일반인들과 과학자 양쪽 모두의 노력이 필요하다. 우선 일반인들의 과학에 대한 이해가 필요하다. 과학의 내용은 물론 과학의 본질과 성격 ─ 과학의 사회에서의 역할, 중요성, 과학이 인간 생활에 미치는 영향, 과학이 제기하는 문제점 등 ─ 에 대해 폭넓게, 제대로 이해해야만 한다. 물론 그렇게 하는 것이 쉬운 일은 아니다. 현대 과학이 극도로 전문화됨으로써 비전문가인 일반 사람들이 과학을 이해하는 것을 지극히 어려운 일로 만들어 버렸기 때문이다. 그러나 그렇다고 해서 과학에 무관심하고 과학을 이해하려는 노력을 포기해서는 안 된다. 어렵더라도 과학의 내용을, 특히 사회와 인간 생활의 중요한 문제들과 결부된 분야의 내용에 대해서는 이해하려고 노력해야 한다. 과학의 내용이 어려운 것은 사실이지만 그것을 이해하는 일이 불가능한 것만은 아니다. 분야에 따라서는 일반인들이 그 내용을 이해할 수 있는 것도 있으며, 대부분의 분야에 있어서 노력만 하면 훌륭한 초보 지식을 얻어 낼 수 있다. 또한 과학에 직접 종사하는 것이 아니라 과학의 사용자, 관리자로서

---

* 예컨대 나는 모든 학생에게 새로운 개념, 사고방식, 시각, 접근법을 접하게 한다는 의미에서 고등학교의 모든 학생들에게 미적분을 가르쳐야 한다는 데 찬성한다. 문제는 문과 학생이라고 해서 미적분에 공포감과 벽을 느끼는 것이 당연하게 여겨지는 상황이다. 사실 미적분은 학생들이 그간 수학에서 공부해 온 것과는 다른 새로운 개념, 사고방식, 시각, 접근법을 포함하며, 이 같은 새로운 것에 대한 두려움을 반드시 문과 학생들만 느낄 일은 아니며 누구나 얼마만큼의 두려움을 느끼는 것이 당연하다. 이과 학생은 모두 두려움을 느끼지 않고 문과 학생들만 두려움을 느낀다는 것은 임의적이고 실체가 없는 문과-이과의 장벽이 만들어 낸 결과이다.

일반인이 접하는 문제는 전문적인 과학 지식으로 해결해야 할 문제들이 아니라 과학이 빚어내는 가능성과 문제점들, 그것들 사이에서의 선택, 그리고 그런 가능성을 위해 사회가 치러야 할 대가——과학에 대한 투자, 지원 등——에 관한 문제들이며, 과학 내용의 어려움 때문에 이런 문제들에 대한 이해가 불가능한 것은 아니다.

한편 과학자도 폭 좁은 전문 기능인의 위치에서 벗어나야 한다. 그리고 과학자도 자신의 전문 분야가 인간 생활과 사회의 여러 문제로부터 유리된 별개의 세계에 관해서 다루는 것이라는 착각을 버려야하며, 과학 분야 역시 인간 생활과 사회의 여러 요소에 영향을 미치고 영향을 받는다는 사실을 분명히 인식해야 한다. 따라서 과학자는 더이상 과학의 전문 내용에만 안주할 수 없으며, 과학의 사회적·정치적 측면이나 그것이 제기하는 윤리적인 문제들에 관심을 가지고 필요한 지식과 안목을 갖추어야 한다. 또 과학자는 더 이상 사회의 일반인들이 과학을 이해하거나 말거나, 과학에 관심을 갖거나 말거나에 초연한 채 지낼 수 없으며, 일반인들에게 과학을 이해시키려는 노력을 해야 한다. 물론 전문화된 학문 분야에서 활동하는 과학자에게는 자신의 연구 활동에 전력해야 할 압력이 대단히 크게 작용하며, 따라서 문화적·윤리적인 문제에 대해 발언할 여유가 없다고 느낄 것이다. 그러나 그들에게 학문과 예술의 전 분야에 능했던 레오나르도 다빈치 Leonardo da Vinci(1452~1519) 같은 사람이 될 것을 요구하는 것은 아니다. 사실 현대에 와서 그처럼 전 분야에 능통한다는 것은 가능하지도 않고 필요하지도 않기 때문이다. 요구되는 것은 전문 과학자도 비전문가들에게 자신이 연구하는 분야의 내용과 문제, 의의와 중요성에 대해 이야기해 줄 수 있어야 한다는 것이다. 비전문가들에게 자신이 연구하는 분야의 의미와 중요성에 대해 이해하도록 하려는 의도와 능력을 지닌 전문가가 필요한 것이다.

　과학자와 일반인 양쪽 모두가 이 같은 자세를 지녀야만 사회와 문화 전반으로부터 과학이 유리된 상태가 해소되고, 과학이 우리 사회와 문화의 진정한 일부가 될 것이다.

7

맺음말

이렇듯 당연한 일반론을 펴면서 내가 과학기술과 일반인 양쪽에 대해 너무 공평한 입장에 서려고만 했다는 점이 마음에 걸린다. 실제로는 양쪽의 관계가 균형 관계가 아니며, 따라서 공평하기만 해서는 안 되는 관계이기 때문이다. 오늘날 과학기술에 대한 이해가 모든 사람의 필수가 되어야만 함에도 불구하고, 과학기술의 전문성이 빚어내는 어려움 때문에 심각한 문제를 빚고 있는데, 이는 과학기술과 일반인, 과학기술과 인문학 사이의 공평한 균형으로 해결할 수 있는 성격의 문제가 아니다.

이에 따라 다시 과학기술 교육의 문제가 핵심적으로 대두된다. 우선 과학기술에 대한 이해는 스스로 습득하기 힘들기 때문에 모든 사람에게 정규 교육 과정에서 교육되어야 한다. 그리고 과학기술의 내용이 지니는 어려움과 과학기술에 대한 편견으로 인해 과학기술을 회피하려는 경향이 널리 퍼져 있기 때문에, 과학기술 교육이 모든 사람에게 필수로 되어야 한다. 그동안 의무 교육 영역으로 언어와 수학이 강조되어 왔지만, 이제 현대를 살아 나가는 데 필수적이면서도 자발적으로 습득할 수 없는 과학기술이 의무 교육의 중요한 핵심 영역이 되어야 할 것이다. 그리고 이를 위해 문과와 이과가 모든 면에서 완전히 균형을 이루어야 한다는 우리 사회에 널리 퍼져 있는 미신, 그리고 일반인은 '문과'이며 과학기술은 일반인들과는 상관없는 특별한 것이라는 미신을 탈피해야 할 것이다.*

만약에 어떻게 할 것인가가 아니라 앞으로 어떻게 될 것인가를 물었다면, 나는 퍽 비관적인 답을 제시할 수밖에 없었을 것이다. 어쩌면 절망적인 답을 제시했을지도 모른다. 현재 우리가 처한 상황이 너무나 암담하고, 그것을 개선하는 일이 너무나 어려워 보이기 때문이다. 물론 '과학과 인문학의 만남' 같은 시도나 주장들은 많아지고 있다. 그러나 이 같은 주장과 시도들에는 만남을 손쉽게, 편안하게, 덜 진지

---

* 현대 사회와 문화에서 지니는 과학기술의 중요성과 필요성을 감안하여 고등학교에서 어느 수준까지의 과학 교육을 필수로 부과해야 한다. 그렇게 되면 '문과 학생들'에게는 힘들지 않겠냐고 걱정해서는 안 된다. 힘들다면 '이과 학생들'에게도 마찬가지로 힘들 것이다. 그리고 앞으로 세상을 살아 나가는 데 중요한 과학기술은 힘들더라도 반드시 교육받아야 하는 것이다. 문제는 임의적인 구분을 통해 '문과 학생'이라는 부류를 만들어 과학기술은 어렵고 회피해야 할 것으로 생각하도록 만드는 데 있다. 물론 과학기술 교육을 강화하면 전체 교과 부담은 당연히 조정되어야 할 것이다. 그러기 위해서는 모든 교과목을 문과 계열 교과목과 이과 계열 교과목으로 나누어 이들 사이에 1 : 1 균형을 이루어야 한다는 고집을 없애야 한다.

김영식

하게 이루려는 생각이 많이 담겨 있다. 그렇게 해서는 제대로 되지 않고, 결국은 역효과를 내고 말 것이다.

우리 사회의 구성원 모두가 엄청난 변화를 하지 않으면 이 엄청난 문제를 해결할 수 없다. 엄청난 변화를 겪지 않고는 내가 위에서 말한 과학기술의 분리 상태는 점점 고착되어 갈 것이고, 우리는 새로운, 변화된 시대가 요구하는 과학자와 지식인을 교육시켜 내지 못할 것이다. 그리고 그 같은 엄청난 변화를 겪고 이루어 내기 위해서는 엄청난 관성의 힘과 저항을 이겨 내야 할 것이다. 내 자신의 오랜 경험에서 볼 때, 현재의 상황에서 우리의 교육 정책 담당자가, 그리고 사회가 이것을 해낼 것이라고 기대하기는 어렵다. 그러나 그럼에도 불구하고 이를 단념할 수는 없고, 남은 장의 논의들이 이 같은 상황을 개선하는 데 기여할 수 있다면 다행이겠다.

주

1 ‘Two Cultures’라는 말은 Charles P. Snow의 1959년 Rede Lecture가 *The Two Cultures and the Scientific Revolution* (Cambridge University Press, 1959); 번역본: C. P. 스노우, 오영환 역, 『두 문화』(사이언스북스, 2001)로 출판되고 많은 논란을 낳으면서 유행하게 되었다.

2 이 장의 내용 중 많은 부분이 나의 글 「한국 사회에서의 문과·이과 구별의 경직성과 그 폐단」, 『과학과 철학』 제4집(과학사상연구회, 1993), 20~34쪽〔『과학, 인문학 그리고 대학』(생각의나무, 2007), 125~148쪽에 재수록〕에 실려 있다.

3 보다 자세한 논의는 김영식, 「과학과 가치: 과학은 가치중립적인가?」, 『과학, 인문학 그리고 대학』(생각의나무, 2007), 28~45쪽을 볼 것.

4 인문학의 ‘객관성’에 대해서는 Harold Brown, ‘Objective Knowledge in Science and the Humanities’, *Diogenes* 97 (1977), 85~102쪽을 볼 것.

5 과학에 대한 바로 이런 편견에서 칸트(Immanuel Kant, 1724~1804)는 뉴턴(Isaac Newton, 1642~1727)을 ‘천재’(genius)라고 부를 수 없다고까지 이야기했다. 홍성욱, 『인간의 얼굴을 한 과학: 융합 시대의 과학 문화』(서울대학교출판부, 2008), 40쪽.

6 김영식, 『과학혁명: 전통적 관점과 새로운 관점』(아르케, 2001), 102쪽.

7 전통 중국에서의 ‘문’(文)과 ‘이’(理) 개념의 의미와 그 발전에 대해서는 David McMullen, “Historical and Literary Theory in the Mid-Eighth Century”, Arthur F. Wright and Denis Twitchett (eds.), *Perspectives on the T’ang* (New Haven: Yale University Press, 1973), 307~342쪽과 Wing-tsit Chan, “The Evolution of the Neo-Confucian Concept Li as Principle”, *Tsing Hua Journal of Chinese Studies*, new series 4, no. 2 (1964), 123~149쪽을 볼 것.

8 Peter K. Bol, “Chu Hsi’s Redefinition of Literati Learning”, Wm. Theodore de Bary and John W. Chaffee (eds.), *Neo-Confucian Education: The Formative Stage*

(Berkeley: University of California Press, 1989), 151~185쪽.

9 1687년에 초판이 간행된 이 책의 원래 라틴어 전체 제목은 'Philosophiae naturalis principia mathematica'로 '자연철학의 수학적 원리'라는 뜻이다. 김영식, 『과학혁명: 전통적 관점과 새로운 관점』 11장 참조할 것.

10 Stephen Palmquist, "Kant's Cosmogony Re-Evaluated", *Studies in History and Philosophy of Science* 18 (1987), 255~269쪽.

11 이 같은 상황에 대한 간단한 언급이 Owen Hannaway, "Georgius Agricola as Humanist", *Journal of the History of Ideas 53* (1992), 553~560쪽 중 553~554쪽에 실려 있다.

12 Eric Ashby, *Technology and the Academics: An Essay on Technology and the Universities* (London : 1958), chaps. 2-3.

13 Snow, *Two Cultures*, 17~19쪽.

14 김영식, 「한국 현대 과학의 특성과 그 역사적 배경」, 『과학, 역사 그리고 과학사』(생각의 나무, 2008), 115~130쪽.

2장

서양 학문 전통 속의 과학과 인문학

앞 장에서도 보았듯이, 오늘날 '인문학'이라고 하면 현대 사회의 지배적인 요소들인 과학, 기술, 정보, 경영 등과 구분되고 대비되며, 심지어는 이들 요소들과 반대되는 것으로 생각하는 경우가 흔하다. 그중에서도 특히 자연과학은 많은 사람들이 인문학과 반대되는 것으로 생각한다. 그리고 학문의 성격상 인문학과 자연과학을 이처럼 구분하고 대비하는 것이 실제로 어느 정도 가능하며, 그 같은 구분이 실제로 존재하기도 한다. 그러나 인문학과 자연과학 사이의 이런 엄격한 구분과 분리 상태는 17세기 서양의 과학혁명기에 비로소 시작되었고, 그 이전 고대와 중세 서양에는 그 같은 분리 상태가 존재하지 않았다. 이 장에서는 고대 이래 서양 학문 전통 속에서의 과학—자연 지식—의 위치, 그리고 과학과 인문학의 관계에 대해 살펴봄으로써 과학과 인문학이 오늘날과 같이 서로 분리된 상황에 이른 역사적 과정을 검토해 보고자 한다.

I

고대와 중세 서양 학문 전통 속의 과학

(1) 고대 및 중세 초기 서양의 학문체계

고대 서양의 학문체계에서도 과학적 지식은 빼놓을 수 없는 일부로 포함되어 있었다. 탈레스Thales(B. C. 624~B. C. 546?) 이래 플라톤Platon (B. C. 427~B. C. 347?)과 아리스토텔레스Aristoteles(B. C. 384~B. C. 322)에 이르기까지 고대 그리스의 많은 사상가들을 우리는 흔히 '철학자'라고 부르지만 그들은 정도의 차이는 있을망정 대부분 자연 세계에 관심을 지니고 있었으며, 따라서 동시에 '과학자'이기도 했다고 할 수 있다. 고대 그리스 과학사 책과 고대 그리스 철학사 책을 함께 펼쳐 보면 두 책은 구체적인 강조점들이 다를 뿐 완전히 같은 사람들을 다루고 있음을 알게 될 것이다.

예를 들어 플라톤과 아리스토텔레스는 고대 그리스의 가장 중요한 양대 철학자이자 동시에 양대 과학자였으며, 후세의 서양 철학과 과학 양쪽 모두에 마찬가지로 큰 영향을 미쳤다. 실제로 플라톤과 아리스토텔레스의 많은 저술들은 자연 세계에 관한 과학적인 내용을 중요한 부분으로 포함했다. 플라톤은 『티마이오스』Timaios라는 책 속에 우주론, 천문학, 빛과 색, 원소, 인간 생리학 등 자연 세계에 관한 자신의 견해를 담아 이후 서양 과학이 발전하는 방향에 큰 영향을 미쳤다. 아리스토텔레스 역시 많은 과학적 저술을 남겼으며, 아리스토텔레스의 과학이 그 이후 16, 17세기 과학혁명기까지 근 2000년간 서양 과학을 지배했다고 할 수 있다. 아리스토텔레스는 특히 생물학 분야에 관심이 많아서, 그의 전체 저술 중 생물학 분야의 저술이 5분의 1에 달할 정도였다. 오늘날 플라톤과 아리스토텔레스의 저술에 포함된 이 같은 과학적 측면이 잘 보이지 않는 이유는 우리가 오늘날의 구분에 바탕해 '철학자'인 그들의 저술에서 과학적 내용을 보지 않기 때문에 그런 것이다. 이 두 사람 이전, 이른바 '소크라테스 이전'Pre-Socratic 철학자들의 경우에는 자연 세계에 대한 관심이 더욱더 컸다. 사실 이들 '소크라테스 이전' 철학자들의 관심이 지나치게 자연 세계 위주로 쏠리면서 인간 세계에 대해 소홀히 했다는 불만이 플라톤과 아리스토텔레스로 하여금 인간의 문제에 관심을 가지도록 했던 것이다. 따라서 플라톤과 아리스토텔레스가 그 이전 철학자들보다 인간과 사회 문제에 더 관심을 쏟은 것은 사실이지만, 그들은 여전히 자연 세계에도 많은 관심을 지니고 있었다.

그러면 이들은 자신들의 학문적 관심 영역들을 어떻게 분류했던가? 우선 플라톤은 '감각 경험'sense experience - '가시적 형상'visible form - '이데아'Idea의 3원적 구분을 했는데, 이 같은 구분이 그것들을 대상으로 하는 학문 분야들의 3원적 구분(즉 'physics' - 'mathematics' - 'metaphysics')을 낳았다. 아리스토텔레스는 플라톤의 이 같은 3원적 구분을 받아들이는 한편 거기에 '이론적'speculative인 것과 '실용적'practical인 것 사이의 2원적 구분을 더해 〈표 1〉과 같은 학문 분류체계를 제시했다.*

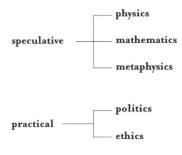

〈표 1〉 아리스토텔레스의 구분

---

* 아리스토텔레스는 이 외에 'productive' (또는 'poetical')이라는 영역을 제시했지만, 이는 학문적 영역은 아닌 것으로 생각되어 흔히 그의 학문 분류체계에서 제외된다. 그러나 나중에 보게 될 것처럼, 사실은 이 영역에서 인문학과 기술 사이의 연결 가능성을 찾아볼 수 있다.

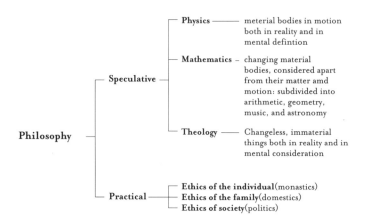

Physics ——— meterial bodies in motion
both in reality and in
mental defintion

Mathematics – changing material
bodies, considered apart
from their matter amd
motion: subdivided into
arithmetic, geometry,
music, and astronomy

Theology ——— Changeless, immaterial
things both in reality and in
mental consideration

Ethics of the individual(monastics)
Ethics of the family(domestics)
Ethics of society(politics)

Philosophy — Speculative / Practical

〈표 2〉 보에티우스의 분류체계

플라톤과 아리스토텔레스의 이 두 구분은 보에티우스Boethius(480~ 524?)에 의해 종합되어 〈표 2〉에서 보는 것과 같은 분류체계를 낳았다. 한편 스토아학파는 이와는 다른 3원적 구분('logic' – 'physics' – 'ethics')을 받아들였다.

이 같은 초기 학문체계에 그리스와 로마의 '일곱 교양 과목' seven liberal arts 교육의 전통이 들어갔다. '교양 과목' 분야들을 처음으로 분류, 열거한 사람은 바로Terence Varro(B. C. 116~B. C. 27)로, 그는 문법 grammar · 논리학logic(dialectics) · 수사학rhetoric · 기하학geometry · 산수 arithmetic · 천문학astronomy · 음악music · 의술medicine · 건축architecture 의 아홉 가지를 언급했다. 시간이 흐르면서 이 아홉 가지 중 의술과 건축이 빠지고 남은 일곱 가지가 '일곱 교양 과목'으로 불렸으며,[1] 이것

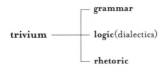

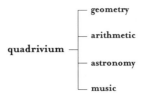

〈표 3〉 일곱 교양 과목

들은 〈표 3〉과 같이 '3학'(trivium: 문법, 논리학, 수사학)과 '4과'(quadrivium: 산수, 기하학, 천문, 음악)로 나누어졌다. 로마 시기에는 이미 이 일곱 분야 의 공부가 철학, 의학, 법학 등 전문 분야를 위한 준비 단계로서 필요 한 것으로 간주되고 있었다. 그리고 중세 초기에는 기독교 신학이 여 기에 더해졌다. 12세기에 이르러 이 분류체계들은 휴Hugh of St. Victor(1096~1141)에 의해 얼마간 성공적으로 결합되었다(〈표 4〉 참조).

그러나 중세 초기에는 이런 여러 다른 학문 분류체계들이 서로 어 떻게 관련되어 있는지 분명치 않은 상태였으며, 이 같은 분류들이 한 꺼번에 섞여서 나타나기도 했다. 사실 아리스토텔레스의 실제 저술들 이 중세 유럽에 재도입되기까지는 이 같은 학문 분류체계는 별 의미 없는 이름만의 분류에 지나지 않았다. 아무도 이 학문 분야들이 구체

<표 4> 성 빅토르 휴의 분류체계

적으로 무엇을 가리키는지 정확히 알 수 없었던 것이다. 또한 이 시기에는 과거의 학문 분야들만이 아니라 'philosophy'나 'science' 같은 말이 무엇을 가리키는지에 대한 정확한 관념도 아직 제대로 형성되지 못한 상태였다. 실제로 당시의 수도원, 성당, 궁정 학교들에서는 단지 일곱 교양 과목만을 가르쳤으며, 여기에 성경 공부가 부가될 따름이었다. 이런 상황에서 'philosophy'나 'science'라는 말도 대체로 일곱 교양 과목을 가리켰다. 그러다 13세기 중엽 <표 5>의 킬워드비 Robert Kilwardby의 학문 분류체계와 같은 것이 최종 형태로 제시되었다.

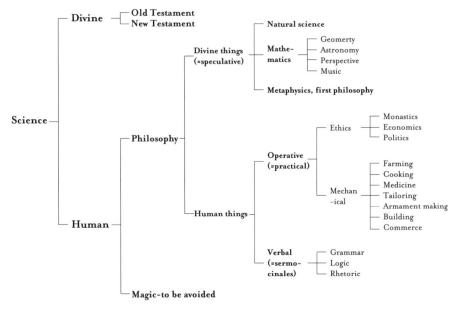

〈표 5〉 킬워드비의 분류체계

　　지금까지 살펴본 고대에서 중세 초기에 이르는 시기 동안의 서양
여러 학문체계 안에는 오늘날의 과학과 기술에 해당되는 여러 분야가
그 이외의 여러 분야와 함께 섞여 존재했고 이들 사이의 구분 같은 것
은 존재하지 않았음을 알 수 있다. 물론 '3학'과 '4과'의 구분, 그리고
'수학' mathematics · '물리학' physics · '윤리학' ethics* 같은 구분들은 있

---

　* 여기서는 편의상 이 단어들에 해당하는 오늘날의 명칭들을 역어(譯語)로 사용하지만, 당시
　　상황에서 이 단어들이 오늘날과 같은 뜻을 지녔던 것은 아니었음을 지적할 필요가 있겠다.

었지만, 그것들은 전체 학문체계 속에서의 개별 영역들일 뿐 학문 분야들 전체를 문과와 이과 두 가지로 나누는 것 같은 일은 없었던 것이다. 킬워드비의 경우에는 학문 분야 전체를 '신적'divine 분야들과 '인간적'human 분야들의 두 가지로 나누었는데, 이 같은 이분법이 그 당시 사람들로서는 당연한, 어쩌면 적절한 구분이었을 수도 있었을 것이다.

(2) 중세 대학의 과학

이런 상황에서 13세기 초 유럽에 대학이 출현했다.[2] 대학이 출현하기 전 중세 유럽에서의 교육은 수도원의 학교들에서 행해졌으며, 읽기·쓰기·셈하기·신학 교리教理 등 초보적인 교육으로 이루어졌다. 11, 12세기 도시가 발달하면서는 성당의 학교들이 생겨났는데, 이 성당 학교들에서 그 이전의 수도원 학교들보다 더 세속적인 주제들에 대한 교육을 실시했고, 그 가운데는 과학적 주제들에 관한 교육도 포함되었다. 한편 이 같은 수도원·성당 학교들에서의 초보적인 교육에 만족하지 못하고 더 공부하기를 원하는 사람들은 대도시로 나가 스승을 찾아서 스승-제자 관계를 맺고 가르침을 받아야 했다. 그리고 그 같은 스승-제자 관계로 맺어진 일종의 길드guild식 학교들이 곳곳에 나타났다.

그러다가 12세기 들어 그동안 문화적으로 낙후된 상태에 있던 유럽이 고도로 발전된 학문을 이슬람으로부터 받아들이고 많은 책들을 번역하게 되었다.[3] 중세 초 암흑기에 유럽에서 사라진 고대 그리스와 로마의 수준 높은 학문이 이슬람 지역에서 보존, 발전되고 있었던 것인데, 유럽이 이를 다시 받아들인 것이다. 이 같은 고급 학문이 유입된 결과 중세 유럽의 학문 수준이 높아지고 학교들이 급격히 늘어났다. 학교들에서 가르치는 과목도 그동안의 '3학'과 '4과'에 더해 신학, 법학, 의학까지 포함되게 되었다. 그리고 12세기 동안에 유럽 전역에 차츰 이런 학교들이 많아졌다.

그중 중요한 학교들을 예로 들자면, 12세기 이전부터 파리, 샤르트르Chartres, 오를레앙Orléans에 과학과 철학 위주의 학교들이 있었고, 12세기 초에는 볼로냐Bologna에 법학 위주의 학교가, 12세기 말에는 옥스퍼드Oxford에 법학, 신학, 철학, 과학을 가르치는 학교들이 생겨났다. 그 뒤 시간이 지나면서 이런 학교들이 너무 무질서하게 난립하고 그중에는 불온하고 위험한 내용을 강의하는 학교들도 있다는 인식이 퍼지게 되었다. 이런 상황에서 1215년에 교황이 이 학교들 중 몇 개를 공인하면서 '대학'university이라는 명칭을 부여했다. 교황이 그 같은 학교들에 '대학'의 헌장charter을 줌으로써 법적인 지위를 부여한 것이다. 이에 따라 대학은 지역 영주의 법이 적용되지 않는 교황의 직속 관할 지역이 되었다.

이슬람으로부터 도입된 높은 수준의 학문과 그 과정에서 번역된 책들은 이 같은 대학의 교과 과정에 들어가게 되었다. 이에 따라 사람들이 처음으로 '자연철학'natural philosophy, '윤리학'ethics, '형이상학'metaphysics으로 이루어진 이른바 '세 가지 철학'three philosophies 분야가 무엇을 뜻하며 어떤 내용들을 포함하는지 알게 되었으며, 이제 대학에서의 기초 학문 교육은 일곱 교양 과목 외에 이들 '세 가지 철학' 분야를 포함하게 되었다. 특히 당시 유럽의 학자들은 이슬람으로부터 재도입된 아리스토텔레스의 저술들에 많은 관심을 가졌다. 그중에서도 아리스토텔레스의 '자연철학 책들' libri naturales은 물리학 이론(*Physica*), 물리천문학(*De Caleo*), 물질 이론(*De generatione et corruptione*), 기상학(*Metheora*), 심리학(*De anima*), 생물학(*De animalibus*) 등 자연과학이라고 부를 수 있는 분야들의 내용을 제공했다. 그리고 이들 내용이 중시되면서 교양 과목 분야들도 '과학화'되게 되었다.

중세 대학은 지역에 따라 얼마간 차이를 보였지만, 대체로 '교양학부' arts faculty라고 불린 일종의 기초 학부와 신학, 법학, 의학의 전공학부로 구성되었다. 그리고 모든 학생들은 위에서 보았듯이 '일곱 교양과목'과 '세 가지 철학' 과목을 주된 교육 내용으로 했던 교양학부에 일단 입학하여 수년 동안 공부한 후 전공학부들에 진학했다. 따라서 위에서 언급한 여러 학문 분야는 교양학부에 속했다. 예를 들어 〈표 5〉 킬워드비의 분류체계에 나오는 대부분의 분야가 그러했다.

그러나 이 분야들은 대학에서 전공이 아니라 어디까지나 기초로서 또는 교양으로서 교육되었다. 또한 교양학부의 교수들도 뚜렷한 전공 분야가 있었던 것으로 보이지 않는다. 그들은 흔히 위의 일곱 교양 과목과 세 가지 철학 과목 중 몇 과목을 함께 가르쳤던 것이다. 사실 많은 교양학부 교수들은 보통 더 고급의 학부로 인식되었던 전공학부 교수로 옮겨 가기를 원했으며, 교양학부 교수직은 전공학부 교수 자리를 얻을 때까지 기다리는 동안 일시적으로 머무는 자리로 생각하기까지 했다. 물론 나중에 가면 대학에 따라 교양학부의 교수들에게 논리학, 철학, 수학 및 천문학 등의 전담 교과목이 주어지는 일도 있었지만, 이런 경우는 중세 동안에는 흔한 일은 아니었다. 상황은 전공학부의 교수들이라고 해서 크게 다르지 않았다. 전공학부 교수들 역시 자신만의 세부적인 전공을 가진 것이 아니었고, 심지어는 자신이 속하는 학부의 분야 외의 분야를 강의하는 일도 드물지 않았던 것이다. 특히 신학부 교수들이 철학을 강의하는 일은 흔했으며, 의학부 교수들이 기초 학문 분야를 가르치는 일도 많았다. 이탈리아의 대학들에서는 의학부와 교양학부가 하나의 학부로 존재하는 일도 있었다.

이 같은 상황에서 14세기 이후 학문 분류체계에 대한 관심은 더 이상 지속되지 않았다. 사람들이 더는 학문의 본질, 범주, 분류 등에 대한 논의를 하지 않았던 것이다. 물론 학문 분류체계와 관련된 내용이 그 후로도 구체적인 주제들에 대한 논의의 서론에서는 계속 언급되었지만, 더 이상 사람들의 본격적인 관심 대상이 되지 못했다.[4]

이렇듯 중세 대학의 교양학부 교육은 크게 나누어 오늘날 우리가 보기에 과학에 속하는 분야들(즉 '4과' 및 자연철학)과 철학에 속하는 분야들(논리 및 형이상학, 윤리학)의 결합으로 이루어져 있었다. 그러나 이 두 가지 중 철학 분야들이 훨씬 더 중요한 것으로 여겨졌고, 이에 따라 시간이 가면서는 교양학부가 '철학 학부'로 생각되기도 했다. 이 같은 중세 대학의 철학 중심적인 경향은 과학 분야들의 교육 방식마저 '철학적'으로 만들기도 했다. 예를 들어 아리스토텔레스 물리학의 내용을 다루는 한 주해서에서 논의되었던 다음 질문들을 보면 그것이 얼마나 철학적이었나를 알 수 있고, 과학과 철학이 분리되기는커녕 서로 완전히 결합되어 있었음을 알 수 있다.

장소place는 평면인가?

장소는 움직이지 않는가?

지구의 정당한 본연의 위치는 물속인가, 아니면 물의 오목한 표면 속인가?

진공의 존재가 가능한가?

모든 물체의 모든 운동에 '저항이 있는 매체'resisting medium가 필요한가?

만일 진공이 존재한다면 무거운 물체가 그 속에서 운동할 수 있는가?

만일 진공이 존재한다면 그 속에서 유한한 속도의 운동이 가능한가?[5]

따라서 중세 대학에서 철학과 과학은 서로 구분되지 않는 하나의 덩어리로 존재했다. 철학과 과학 분야를 가르치는 교수들도 서로 구분되지 않았고, 한 명의 교수가 일곱 교양 과목과 세 가지 철학 중 여러 가지를 함께 가르치는 일도 잦았다. 이런 상황에서 '과학'scientia이라는 단어는 오늘날보다 훨씬 넓은 의미로 사용되었으며, 대체로 체계적 학문 또는 지적 활동 전반을 가리켰다. 따라서 모든 학문 분야를 '과학'이라고 부를 수 있었다고 할 수 있다. 물론 '철학'이란 말은 더욱 포괄적으로 사용되어, 인간의 지식과 학문의 모든 분야를 통틀어서 '철학'이라고 지칭할 수 있었다. 이 같은 상황에서 과학과 과학 이외 다른 분야들 사이의 구분 같은 것은 존재하지 않은 것은 당연했다.

그러나 그렇다고 해서 흔히 생각하듯이 중세 대학에서 과학이 소홀히 여겨졌던 것은 아니다. 오히려 중세 대학의 교육 과정에서 모든 학생들이 '4과'를 공부해야 했다는 점을 주목할 만하다. 또한 '세 가지 철학'의 하나인 자연철학 교과목은 아리스토텔레스의 '자연철학 책들'을 주된 교재로 사용했고, 이는 위에서도 보았듯이 오늘날의 자연과학에 해당되는 내용들로 이루어져 있었다. 과학 분야들이 '철학 학부' 교과 과정의 엄연한 일부, 그것도 중요한 일부를 이루었던 것이다. 그랜트Edward Grant는 중세 대학의 학문이 지닌 이 같은 성격에 대해 다음과 같이 말하고 있다.

(중세 대학의) 필수 교과 과정은 중세를 잘 알지 못하는 사람들이 생각하는 것처럼 신학과 형이상학으로 짓눌려 있었던 것이 아니라, 오히려 논리학과 물리학, 우주론, 그리고 천문학과 수학의 요소들로 구성되었다. 사실상 교양 과정의 모든 학생들이 공통된 교과 과정에 따라 공부했기 때문에 중세의 고등 교육이 근본적으로 논리학과 과학으로 이루어져 있었다는 것이 분명해진다.[6]

사실 상당수의 학생이 실제로 과학 교과목을 전혀 수강하지 않아도 되는 오늘날의 대학 상황과 비교해 볼 때, 모든 학생이 일정한 양의 과학 교육을 필수로 받아야 했다는 점에서 중세 대학에서 과학 교육이 차지하는 비중은 매우 높았다고 할 수 있다. 오늘날 우리 대학들에서 요란하게 거론되는 인문학과 과학이 '융합'된 교육이 이미 중세 대학에서 이루어지고 있었던 셈이다.

한편 중세 대학의 교육 과정에 포함된 여러 분야 중 오늘날 '인문학'이라고 부를 수 있는 분야는 '3학'의 분야들과 '세 가지 철학' 중 두 가지 — 형이상학과 윤리학 — 정도인데, 그나마 '윤리학'으로 분류된 분야들의 경우 그 내용을 보면 세 영역 중 두 영역이 경제학과 정치학에 해당되었다. 결국 중세 대학에서 '형이상학', '논리학', '문법', '수사학', '윤리학' 정도가 오늘날의 인문학에 해당된다고 할 수 있고, 이 분야들이 '기하학', '산수', '천문학', '화성학' 등 '4과'의 분야들 및 '자연철학'과 함께 섞여 있었다. 그리고 물론 이 분야들 모두 위에 신학이 군림했다. 이런 면에서 중세 대학의 학문은 신학, 과학, 논리학, 형이상학 위주였다고 할 수 있으며, 오늘날과 같은 의미의 '인문학'이라는 분야는 중세 대학에는 아직 존재한다고 할 수 없는 상황이었다.

(3) 르네상스 인문주의와 과학

오늘날의 인문학의 기원이라고 할 수 있는 르네상스 인문주의 Renaissance Humanism는 서양 중세의 학문이 지닌 위에서 본 것과 같은 지나치게 논리적이고 과학적인 편향에 대한 반발로 인간의 가치 및 인간의 문제에 대한 관심을 추구하는 경향이 커지면서 생겨났다고 볼 수 있다.[7] 그 같은 추구에서는 자연히 문학, 역사, 예술 같은 분야들이 부각되었다. 그러나 '인문주의'humanism란 또한 신神 및 종교와 대비되는 개념이기도 했다. 이에 따라 인문주의의 학문은 세속적인 경향을 띠게 되었고, 기독교가 아닌 이교도의 사상과 믿음에 대한 관심과 탐구로도 이어졌다. 그리고 이 같은 지적 분위기에서 그간 서양의 학문을 지배하던 기독교화한 아리스토텔레스적 경향에 반기를 드는 학문적인 움직임들이 생겨났다. 많은 인문주의자들은 주로 당시 새로 발굴되는 고대의 텍스트들에서 그런 요소들을 추구했다.

　그러나 이러한 인문주의 학문의 경향이 과학과 인문학의 분리를 낳은 것은 아니었다. 물론 인문주의자들의 주된 관심이 문학, 역사, 예술, 윤리 등에 주어졌던 것은 사실이지만, 과학도 그들의 관심 대상에 포함되었던 것이다. 실제로 르네상스 인문주의자들은 원자론을 비롯해서 플라톤, 아르키메데스Archimedes(B. C. 287~B. C. 212), 헤론Heron (A. D. 1세기) 등의 과학 문헌들에도 관심을 가졌고, 이것이 중세를 통해 지속되어 온 아리스토텔레스 일색의 과학에 새로운 경향을 만들어 주었다. 따라서 르네상스 인문주의가 지나치게 과학, 논리학 위주로만 나가는 당시 학문에 대한 반작용이었던 것은 사실이지만, 그렇다고 그것이 과학을 배제시킨 것도 과학에 대한 반감을 기조로 한 것도 아니었다. 르네상스 인문주의는 오히려 새로운 과학의 추동력을 제공하고 과학혁명을 낳기도 했다. 예를 들어 코페르니쿠스Nicolaus Copernicus(1473 ~1543)나 갈릴레오Galileo Galilei(1564~1642) 등은 철저한 인문주의 교육을 받은 사람들이었으며, 그들은 자신들의 저술에서 인문주의 수사법을 효과적으로 사용했다.[8] 케플러나 뉴턴도 자기들을 '수학자' mathematician이자 '인문주의자' humanist라고 지칭했을 것이다.* 실제로 르네상스 시기의 많은 인문주의자들이 수학에 관심을 가지고 고대 그리스 수학 서적을 번역하는 작업을 수행하기도 했으며, 기술적인 주제들에 대한 저술도 남겼다.[9]

　르네상스 인문주의자들의 이 같은 경향은 인문주의와 기술적 전통 사이에 일종의 연결 비슷한 것을 낳기도 해서 기술자들과 인문주의자들이 같은 곳에서 교육받는 일이 흔했으며, 이에 따라 기술자들이 인문주의적 경향을 보이기도 했고, 기술·광업·건축 등의 윤리적 성격이 부각되기도 했다. 아그리콜라Georgius Agricola(1494~1555)는 그 같은 연결을 보여주는 대표적인 예로, 그는 전통적인 기술자 집안에서 태어났지만 그와 그의 형제들은 대학 교육을 받았다. 후에 박식한 인문주의자로 널리 알려진 그의 유명한 저서 『금속에 대하여』De re metallica 에 대표적인 인문주의자 에라스뮈스Desiderius Erasmus(1466~1536)가 서문을 써 주기도 했다.[10]

---

* 이 당시 'scientist'란 말은 아직 없었고, 아마도 '자연철학자'(natural philosopher)라는 표현이 오늘날의 '과학자'라는 말에 가장 가까웠을 것이다.

2

과학혁명과 서양의 학문 및 과학

서양 학문체계의 진화 과정에서 과학의 분리를 특징으로 하는 오늘날과 같은 학문체계가 형성되는 결정적 계기가 되었던 것은 '과학혁명' Scientific Revolution이라고 부르는 과학상의 획기적인 변혁이었다. 16, 17세기 서양에서 일어난 과학혁명의 결과 그동안의 과학과는 크게 다른 '근대 과학'이 형성되고, 그간의 서양 학문체계에 변화가 일어났다. 그리고 이 근대 과학이 더욱 발전해 나가는 과정에서 고도의 전문화를 거치면서 점점 문화 일반이나 인문 교양으로부터 분리, 격리, 제외되게 되었던 것이다. 이 같은 분리와 격리는 데카르트에서 시작되었다고 할 수 있는데, 그 후 급격히 진행되었다. 이에 따라, 18세기 초까지만 해도 뉴턴이나 라이프니츠처럼 과학과 인문학적 주제들 양쪽 모두에 관심을 가지고 능력이 있었던 사람들을 찾아볼 수 있었지만 18세기가 진행되면서 그런 사람들을 찾기가 점점 힘들어졌다. 그러면 먼저 이 같은 분리의 전기가 되었던 '과학혁명'이 어떤 것을 가리키는지 살펴보도록 하자.[11]

(1) '과학혁명'

과학혁명은 무엇보다도 먼저 몇몇 과학 분야의 내용에 있어서의 커다란 변혁을 가리킨다. 고대 그리스의 과학, 특히 아리스토텔레스에 전체적인 기초를 두고 프톨레마이오스Ptolemaeos(A. D. 2세기)의 천문학, 갈레노스Galenos(129~199?)의 생리학, 유클리드Euclid(B. C. 330~B. C. 260)의 기하학 등으로 보완된 내용이었던 서양 중세의 과학이, 코페르니쿠스에서 시작해서 케플러·갈릴레오 등을 거쳐 뉴턴에 이르러 완성을 본 새로운 천문학과 우주론, 갈릴레오에서 시작해서 데카르트·호이겐스를 거쳐 역시 뉴턴에 의해 완성된 새로운 역학, 즉 '고전역학'古典力學(classical mechanics), 베살리우스Andreas Vesalius(1514~1564) 이래 증가된 해부학 지식과 하비William Harvey(1578~1657)에 의해 얻어진 혈액순환 이론을 통해 자리 잡은 새로운 생리학, 데카르트·페르마Pierre de Fermat(1601~1665) 등을 거쳐 뉴턴과 라이프니츠에 이른 새로운 수학, 즉 대수학algebra과 해석학analysis, 그리고 케플러·데카르트·뉴턴 등에 의한 새로운 광학optics 등, 완전히 새로운 내용들로 대체되는 가히 '혁명적'이라고 부를 만한 변혁이 이 시기에 일어났던 것이다. 그리고 과학혁명기 동안에는 이처럼 혁명적인 변화로 이어지지는 않았지만 관찰과 실험을 사용한 다른 많은 과학 연구 활동들이 있었다. 그 같은 과학 활동들은 당장 획기적인 성과를 낳지는 않았지만 생물계와 물질계의 수많은 물체들과 현상들에 대한 많은 경험적 지식이 쌓이도록 했고, 18~19세기를 통해 이들을 대상으로 하는 전문 과학 분야들이 형성되는 데 기여했다.

과학혁명기 동안에는 과학 방법에서도 큰 변화가 있었다. 물론 과학혁명기 과학의 방법을 특징지을 수 있는 세 가지 특성 ─ '경험적·실험적', '수학적', '기계론적' 특성 ─ 은 이 시기에 새로 나타난 것이 아니라 고대부터 존재했던 것들이다. 그러나 고대와 중세를 통해 이들 특성들은 서로 분리된 채 각각 별도로 발전해 왔으며, 때로는 서로 마찰을 빚었고, 심지어는 서로 반대되는 것으로 생각되기도 했었다. 이렇게 서로 별개로 분리되어 존재해 오던 세 가지 특성이 과학혁명기인 16~17세기에 하나로 합쳐진 것이다. 과학혁명의 결과로 출현한 '근대 과학'이란 바로 이 세 가지 특성을 함께 갖춘 과학을 가리킨다고 할 수 있다.

과학혁명기 동안의 과학에 있었던 또 한 가지 중요한 일은 새로운 과학 단체들의 출현이었다. '새로운 과학'new science의 활동들이 그동안 학문과 과학의 본거지였던 대학이 아니라 대학 바깥에서, 특히 피렌체의 실험아카데미Accademia del Cimento, 런던의 왕립학회Royal Society, 파리의 왕립과학아카데미Academie royale des sciences 등 당시 유럽에 새로이 설립되던 아카데미들에서 주로 이루어졌던 것이다. 그리고 이는 '새로운 과학'이 내용면에서 그때까지의 대학의 주된 흐름과 부합되지 않았을 뿐만 아니라 방법면에서도 당시 대학의 기능을 벗어난 새로운 유형의 과학 활동——대규모의 실험, 많은 과학자들의 협동 연구——을 수행했음을 의미했다. 또한 새로운 유형의 과학 활동이 필요해서 출현한 이들 새로운 과학 단체들은 그것들이 일단 정착된 후에는 그 같은 새로운 유형의 과학 활동이 널리 수행되고 확립되는 데 기여하기도 했다.

과학혁명기에 있었던 일은 이 외에도 많으며, 그것들을 이 장에서 모두 다루는 것은 가능하지 않다. 다만 여기서는 기계, 건축, 생산기술 등 실제적인 분야들의 사회적 중요성과 지위의 부상浮上이 전반적인 실용주의적 태도의 증대와 함께한 반면, 연금술·점성술·마술 등은 과학혁명을 거치면서 크게 퇴조했음을 지적함으로써 과학혁명에 관한 전반적인 이야기를 끝내기로 한다.

이러한 일들의 결과 중세를 통해 그 자체로서 독자적인 분야를 이루지 못한 채 철학의 일부분에 지나지 않았던 서양의 과학이 1700년경이 되면 과학 그 자체로서 존재하게 되었다. 과학혁명기의 '새로운 과학자'new scientist들은 신학이나 철학의 문제로부터 파생된 흥미가 아니라, 자연 세계를 이해하려는 흥미 그 자체에서 과학에 종사하게 된 것이다. 또한 이들 새로운 과학자들은 이에서 더 나아가 자연 세계를 이해함으로써 자연을 이용하고 조작하려고까지 했다. 따라서 중세 서양에서는 우리가 '과학자'라고 부를 수 있는 사람, 즉 과학에만 종사했거나 과학에 주된 관심을 지녔던 사람을 찾아볼 수 없었던 데 반해 과학혁명기 이후에는 많은 사람이 '과학자'의 범주에 속하게 되었다.

과학혁명을 통해 일어난 이 같은 변혁은 결과적으로 인간이 자연을 보는 관점의 변혁을 넘어 인간과 자연 간의 관계에도 변화를 일으켰고, 더 나아가서는 과학과 전체 사회 구조 사이의 관계에도 변화를 가져왔다. 중세를 통해 줄곧 보잘것없는 상태에 머물렀던 사회에서의 과학의 위치도 엄청난 변화를 보여서, 1700년경, 늦어도 1725년경이 되면 서양 사회가 실제로 과학을, 특히 뉴턴의 이름으로 불린 '뉴턴 과학'Newtonian science을 그 시대가 지닌 현대성의 상징으로까지 여기게 되었다. 즉 당시 서양인들은 자신들의 시대가 우상, 미신, 독단獨斷(dogma), 가설假說 등에 젖어 있던 몽매함에서 벗어나 '과학 정신' scientific spirit으로 무장한 새로운 시대라고 자부했던 것이다. 오늘날 '과학적'이라는 말이 흔히 옳고 믿을 만하고 효율적인 것을 뜻하는 데 반해, '비과학적'이라는 말은 잘못되고 믿기 어렵고 비효율적인 것을 뜻하게 된 것도 18세기 계몽사조기에 볼테르Voltaire(1694~1778), 달랑베르d'Alembert(1717~1783) 등에서 드러났던 과학에 대한 이 같은 깊은 신뢰가 이어진 것으로 볼 수 있다.

(2) 새로운 인식론 : 철학으로부터 과학의 분리

과학혁명기 새로운 과학의 밑바탕에는 인식론에서의 새로운 경향이 깔려 있었다. 그리고 이 새로운 인식론적 경향은 16세기에서 17세기 초에 이르는 시기 유럽이 겪었던 '지식의 위기'에 대한 해결책으로 형성된 것이었다. 지적인 권위가 없어지고 지식에 대한 보장이 흔들

리는 상황에서 그 같은 지식의 위기를 해결하기 위해 기울인 당시 철학자들의 노력이 새로운 인식론을 낳았고, 그런 새로운 인식론에 바탕한 '새로운 과학'이 철학으로부터 분리되었던 것이다.

이 같은 지식의 위기가 일어난 데에는 종교개혁에 의한 교회의 권위 붕괴, 그리고 르네상스를 통한 고대의 다양하고 서로 모순되는 여러 학파와 학설의 부활 등이 영향을 미쳤다. 그러나 이 위기를 더욱 심화시킨 것은 고대의 회의론懷疑論(skepticism), 특히 절대적 진리나 참다운 지식은 있을 수 없고, 있다고 하더라도 그 기준이 없다는 피론 Pyrrhon(B. C. 360~B. C. 270?)의 극단적 회의론의 부활이었다. 피론의 회의론은 16세기 말에 창궐했는데, 이 같은 회의론의 영향으로 17세기 초에 이르러서는 지식에 있어서의 기존 질서나 근거, 권위에 대한 부정과 파괴는 거의 철저하게 진행된 반면 그것들을 대체할 새로운 체계는 출현하지 못하고 있는 상태에 놓여 있었다.

회의론에 대항해서 지식의 위기를 해결하려는 철학자들의 노력은 여러 입장에서 진행되었다. 그중 한 가지가 '완화된 회의론' mitigated skepticism이라고 부를 수 있는 것으로, 이 입장을 취하는 철학자들은 절대 확실한 지식의 가능성 및 그 근거에 대한 회의론자들의 회의를 받아들이면서도, 절대 확실한 진리는 아니더라도 어느 정도 확신이 가고 개연성이 있으며 실제 경험과도 부합되는 진리가 있음을 주장했다. 대표적인 예가 메르센 Marin Mersenne(1588~1648)이었는데, 그는 사람들이 수학 지식을 사용해서 문제를 풀어내고 천문학 지식을 사용해서 천체의 운동을 기술해 낼 수 있으며 역학 지식에 바탕해서 기계를 만들면 그것이 주어진 일을 해낸다는 점을 지적하면서, 그렇다면 이런 것들이 지식이 아니고 무엇인가 하는 질문을 했고, 결국 이처럼 실제 세계와 부합되고 주어진 문제를 해결해 주며 요구하는 작업을 해내는 지식은 비록 절대 확실한 지식은 아닐지 모르지만 충분히 받아들일 만한 지식이라고 결론지었다.[12]

이것은 한마디로 '실용주의적'pragmatic 인식론이었다고 말할 수 있다. 그것은 '실용적'이고 '효용'이 있다는 의미에서만이 아니라 '현실적'이라는 의미, 그리고 절대적·원칙적으로 확실한 것만을 고집하는 것이 아니라 실제적으로 가능한 것을 받아들인다는 의미에서 실용주의적이었다. 그때까지 사람들이 추구해 온 지식은 절대 확실한 진리였음에 반해 이제 지식은 그 정도면 된다는 실용주의적인 생각이 자리 잡게 되었던 것이고, 이 같은 생각이 결국은 과학혁명기 대부분의 '새로운 과학자'들에 의해 받아들여졌다.

예를 들어 '새로운 과학자들'은 실재하는 '본질'이나 '원인'을 찾던 그동안의 관심과 집착에서 벗어나, 이제는 현상을 기술하는 일에 관심을 기울이게 되었다(이른바 'why'로부터 'how'로의 전환이 일어난 것이다). 왜 물체가 낙하하는가에 대해 묻기를 중단하고 물체가 어떻게 낙하하는가를 기술하려는 노력을 통해 '물체가 낙하한 거리는 경과한 시간의 제곱에 비례한다'는 사실을 보여준 갈릴레오가 이 같은 태도를 잘 나타내 준다. 뉴턴 역시 이 같은 실용주의적인 인식론을 받아들였으며, 그것은 만유인력에 대한 그의 태도에서 잘 드러난다. "나는 가설을 만들지 않는다"Hypothesis non fingo라는 『프린키피아』에서의 그의 유명한 이야기가 의미하듯이, 뉴턴은 만유인력의 본질이나 원인이 무엇인지, 그리고 그것이 물체들 사이에서 어떤 메커니즘mechanism을 통해 실제로 작용하는지는 묻지 않았다. 뉴턴에게 그러한 것들은 검증할 수 없는 '가설'hypothesis에 불과했고, 그는 그 같은 '가설'을 배격했던 것이다. 그런 본질, 원인, 메커니즘 같은 것 대신 뉴턴은 단지 만유인력이 존재했을 때 나타날 현상을 예측했으며, 그 예측이 실제 현상(예를 들어 케플러의 법칙들)과 부합된다는 사실로부터 만유인력의 존재가 충분히 증명된 것으로 받아들였다.

새로운 실용주의적 인식론은 이렇게 지식이 지닌 확실성을 두고 사람들이 기대할 수 있는 정도에 한계가 있음을 받아들임으로써, 동시에 사람들이 물을 수 있는 질문의 종류에 제한을 가했다. 당연히 그 같은 새로운 인식론을 받아들이는 사람들은 과거와는 다른 새로운 질문들을 던지게 되었고, 포괄적이던 그들의 탐구 대상은 축소되었다. 이렇게 해서 새로이 형성된 문제들과 분야들을 탐구하게 된 사람들은 이제 그동안 자신들이 물어오던 많은 질문을 더 이상 하지 않고 철학에 남겨 둔 채 차츰 철학으로부터 분리되어 갔다. 물론 이들은 자신들이 하는 일을 계속 '철학'philosophy이라고, 그리고 자신들을 '철학자'philosopher라고 불렀다. 그러나 그것이 과거의 철학과 전혀 다른 '새로운 철학'new philosophy임은 분명했다. 그들이 다루는 새로운 문제들은 차츰 독자적인 분야를 형성하게 되었고, '새로운 과학'이라고 불리게 되었다. '새로운 철학'이 철학으로부터 분리되어 '새로운 과학'이 되었던 것이다.

3

전문 과학 분야들의 출현과 과학의 분리

위에서 본 것과 같은 일들이 과학혁명기 동안의 학문체계에 바로 직접적인 변화를 일으키지는 않았다. 서양 학문체계에 대한 과학혁명의 영향은 더 오랜 시간에 걸쳐 천천히 작용했다.

우선, 대학은 중세의 형태가 지속되었다. 물론 과학혁명이 진행되면서 교양학부에 자연철학·수학·천문학 등의 교수 자리가 늘어났고, 의학부에도 생리학·식물학·동물학·화학 등의 교수 자리가 생겨났다. 또한 교양학부와 고급 학부들 간의 계층 구조도 점차 복잡해져 간 것으로 보인다. 그러나 과학혁명이 출현시킨 '새로운 과학'에 부합되도록 대학의 조직이 변화하는 일은 과학혁명기 동안에는 제대로 일어나지 않았다. 그리고 이 점에서는 대학의 조직만이 아니라 교육 내용도 마찬가지였다. '새로운 과학'의 내용은 대학에서 제대로 가르쳐지지 않았고, 새로운 과학 활동도 대학 바깥에서 이루어졌던 것이다. 심지어 당시의 대학은 오히려 '새로운 과학'에 대한 저항과 탄압을 하는 데 중심 역할을 했다고 말하는 학자까지 있을 정도이다.[13] 사실 '새로운 과학자'들이 확실한 지식이나 유용한 결과를 내지 못하는 전통 학문을 비판하면서 예로 들었던 분야들이 신학, 형이상학, 윤리학, 정치학, 문법, 수사학, 논리학 등이었는데, 이 분야들이 바로 위에서 본 중세 대학의 주된 학문 분야들이었고, 이 분야들은 대학 내에서 한참 동안 굳건한 지위를 고수한 채 대학의 학문을 지배했던 것이다. 더구나 '새로운 과학자'들도 새로운 학문체계의 형성에 큰 관심을 갖지 않았던 것으로 보인다. 어떤 면에서 그들은 '새로운 과학'을 건설하는 데 바빠서 그처럼 더 이론적이고 근본적인 작업은 하지 않았을 수도 있으며, 위에서 본 그들의 '실용주의적' 경향이 그 같은 작업과 부합되지 않았을 수도 있다. 결국 과학혁명기에 있었던 일이 학문체계에 영향을 미쳤다면, 그것은 그 이후 시기에서 찾아야 할 것이다.[14]

이와 관련해서 주목해야 할 한 가지 중요한 측면은 과학혁명기 과학의 성공, 특히 뉴턴 과학의 획기적인 성공과 그에 따라 그것이 지니게 된 '모델'로서의 역할이다. 뉴턴이 『프린키피아』에서 모든 물체들 사이에 작용하는 만유인력과 물체들의 운동이 만족해야 할 세 가지 운동 법칙을 기반으로 해서 수학적인 추론을 통해 우주의 구조와 천체의 운동을 설명하는 데 성공한 것은 당시 사람들에게 깊은 인상을 남겼고, 다른 분야나 다른 문제들에 대해서도 같은 방법을 사용하면 똑같이 성공적인 결과를 얻을 수 있으리라는 믿음을 낳았던 것이다.

사람들은 천체 역학에서의 뉴턴의 방법을 지상계의 역학뿐만 아니라 열, 빛, 전기, 자기, 소리, 기체 등과 같은 다른 물리 현상, 그리고 나아가 화학 현상, 생명 현상 등에까지 성공적으로 응용할 수 있을 것으로 생각했으며, 거기에 그치지 않고 인간의 정신 현상, 사회 현상에까지 같은 방법이 사용될 수 있을 것이라고 기대했다.

이에 따라 18세기에 '뉴턴 과학'이라는 말은 과학에 대한 하나의 단일한 이미지를 나타내 준 면이 있었다. 그때까지 서로 분리된 채 존재하던 자연 세계에 대한 지식의 여러 분야가 이제는 뉴턴식의 단일한 방법, 단일한 관점으로 접근할 수 있는 '과학'이라는 단일한 분야가 되었다는 생각이 있었던 것이다. 그러나 이것은 어디까지나 이념적·이론적 차원의 주장과 믿음에 지나지 않았다. 과거와는 다른, 그리고 지식의 다른 영역들과는 다른 새로운 과학의 이미지를 내세우는 이데올로기 차원의 주장이자 믿음이었던 것이다. 여러 분야의 실제 전개 과정은 다음에서 볼 수 있듯이 분야에 따라 크게 달랐다.

천문학과 역학 이외의 분야 중에서 '뉴턴 과학'을 표방한 시도들이 가장 활발하게 전개된 것은 화학 현상의 설명에서였다. 18세기의 많은 화학자들은 서로 다른 물질들 사이에서 일어나는 화학 결합의 차이를 '화학적 친화도'chemical affinity의 차이로 설명할 수 있다고 생각했으며, 이 친화도가 화학 물질들 사이의 '근거리 인력'short range force의 크기를 나타낸다고 보았다. 따라서 그들은 이러한 화학적인 힘을 뉴턴이 만유인력을 두고 했던 것처럼 수학적으로 표현하려고까지 했으며, 그러한 표현을 사용해서 화학 현상에 대한 수학적 설명을 얻어 내려고 시도했다. 물론 18세기 화학의 이 같은 시도는 성공하지 못했다. 그러나 전기, 자기 현상 등 화학 이외 분야에서의 비슷한 시도는 성공으로 이어진 것도 있었다. 특히 전기 분야는 역학과 거의 같은 형태의 성공을 낳아서 쿨롱Charles Augustin de Coulomb(1736~1806)은 전기를 띤 물체들 사이에 만유인력과 마찬가지로 거리의 제곱에 반비례하는 '전기력'이 존재함을 보이고, 그에 바탕해서 전기 현상을 수학적으로 논의할 수 있는 기초를 닦았다.

또한 정확하게 뉴턴 역학의 형태를 취한 것은 아니지만 각각의 현상에 고유한 '무게 없는 입자'imponderable들을 가정해서 그것들의 작용을 통해 열 현상, 연소燃燒 현상 등을 설명하려는 시도들도 '뉴턴 과학'을 표방하면서 행해졌고, 이 같은 시도들은 비록 성공하지는 못했지만 19세기 초까지 계속되었다. 이러한 일들은 물리과학 분야들에만 국한된 것이 아니었다. 생명 현상에 대해 다루는 생명과학 분야, 그리고 사회 현상에 대해 다루는 사회과학 분야들에까지도 이들 현상에 기본이 되는 힘이나 작용을 얻어 내고 그로부터 현상들을 설명하려는 뉴턴 과학의 방법이 열렬히 적용되었다.

이렇게 '뉴턴 과학'을 표방하고 '과학화' 된 분야들은 독자적인 전문 분야들이 되어 갔다. 그리고 이 과정에서 그동안 여러 갈래로 내려오던 지식들이 합쳐지거나 하나의 분야로 생각되어 오던 것이 여러 갈래로 나누어지는 일이 일어났다. 예를 들어 19세기를 통해 자리 잡은 '물리학' 분야는 그간 수학의 일부로 생각되어 온 역학, 정역학, 기하광학 등의 지식을 비롯해서 자연철학의 일부를 이루어 온 여러 주제,

그리고 빛, 열, 전기, 자기, 소리, 기체 등에 관한 여러 갈래의 경험적·실험적 지식들이 모여서 이룬 하나의 분야였다. 이런 과정에서 그간 '수학'이라는 하나의 분야를 이룬다고 생각되어 온 내용들 중 많은 부분이 물리학, 천문학 등으로 나누어져 나갔다.[15] 역시 19세기 동안 자리 잡은 '생물학' 분야도 자연철학, 자연사自然史(natural history) 등에 포함되었던 내용들 외에 생리학, 해부학, 약물학, 식물학, 동물학 등에서 별개로 다루어지던 여러 주제가 모여서 생명 현상을 다루는 하나의 과학 분야를 이룬 것이었다.[16] 이보다 앞서 자리 잡은 화학도 자연철학, 연금술, 의학, 약학, 금속학, 생산기술 등 여러 분야의 지식이 새로운 화학 이론체계를 바탕으로 모여 정리된 것이었다. 다른 자연과학 분야들도 마찬가지였으며, 그 후 생겨난 사회과학의 여러 분야도 같은 식의 과정을 거쳐서 전문 분야들이 되었다.

이렇게 해서 천문학, 수학, 광학, 의학 등 과학혁명기 이전에 이미 전문화되어 있던 분야들 이외의 거의 모든 과학 분야가 17~19세기 사이에 자연철학으로부터 분리되어 전문 분야들이 되었다.[17] 그런데 이렇게 전문 분야가 된 분야들은 그 전문성 때문에 일반 지식인들의 관심과 능력을 넘어섰고, 이에 따라 일반 지식인들로부터 분리되었다. 그리고 대부분의 과학 분야들이 이렇게 전문화되어 분리되어 간 것이 과학이 학문 일반으로부터 분리되는 데에 기여했다. 여기서 주목할 점은 이들 분야들이 '과학'이라는 하나의 분야로서 분리되어 나간 것이 아니라 각각의 전문 분야가 분리되었다는 사실이다. 나중에는 과학 이외의 분야들도 전문화되고, 그 결과 비슷한 방식의 분리가 진행되었다. 이런 일은 우선 사회과학 분야들에서 시작되었는데, 예를 들어 시장, 국가, 사회의 영역들을 각각 다루는 경제학, 정치학, 사회학이 전문 분야로 자리 잡으면서 분리되어 나갔다. 그리고 20세기에 들어선 후에는 인문학 분야들의 전문화와 분리도 이어졌다.

4

과학, 기술, 인문학 : 분리와 연결

과학혁명 이후 서양 학문의 변화가 학문 분야들의 분리만으로 진행
되어 온 것은 아니다. 분리와 함께 연결로 볼 수 있는 측면도 있어서
상황을 훨씬 복잡하게 했다.

우선, 위에서 본 것처럼 계몽사조기 뉴턴 과학의 방법을 사회, 도덕
등에 적용하려고 했던 시도들 밑에는 인간 사회와 자연이 분리되고
단절된 것이 아니라 서로 연결되고 연속적인 것이라는 믿음이 깔려
있다고 할 수 있다. 아직 과학과 인문학의 분리가 철저하게 일어나지
않았던 것이다. 사실 뉴턴 과학의 커다란 성공이 결국은 전문 과학 분
야들의 분리를 낳았지만, 처음에는 오히려 일반 지식인들로 하여금
그저 성공적인 과학에 관심을 갖도록 하고 과학과 다른 분야들 사이
의 연결에 관심을 지니도록 한 면도 있었다.* 실제로 홉스Thomas

Hobbes(1588~1679), 스피노자Baruch Spinoza(1632~1677), 라이프니츠, 흄 David Hume(1711~1776) 등 당대 최고 수준의 철학자들이 그 같은 연결에 대한 믿음에 바탕해서 인간의 정치적 행동이나 도덕적 감정을 뉴턴이 천체 역학을 다룬 것과 같이 수학적 방법을 통해 다루려고 시도했다.[18] 그러나 뉴턴 과학의 방법을 인간, 사회의 문제를 다루는 데에 그대로 적용하려는 이 같은 식의 생경한 시도는 성공하지 못했다. 그리고 이런 시도들이 실패함에 따라 자연 세계에 대해 다루는 과학이 인간이나 사회의 문제들을 다룰 수는 없는 것이라는 인식이 오히려 깊어지게 되고, 인간이나 사회 문제를 다루는 일로부터 과학의 분리를 심화시킨 면도 있다.

한편 과학이 철학으로부터 분리되어 간 과정을 전체적으로 살펴보아도 '철학으로부터 과학의 분리'라고만 부르기는 힘든 면이 드러난다. 위의 여러 독자적인 과학 분야들의 형성 과정을 보면, 대부분의 경우 원래 철학 내부에 존재하던 지식과 방법이 철학으로부터 분리되어 떨어져 나온 것이라기보다는, 철학이나 학문 속에 존재하지 않던 분야들이 철학 바깥에서 새로 생겨난 것으로 보는 편이 더 적절하다. 중요한 것은 이 과정에서 철학과 학문 외부에 존재하던 실용적 · 경험적 지식 및 방법이 철학 내부의 학문적 · 방법론적 요소들과 연결되고 결

---

* 이 같은 경향에서 과학기술의 사회적 · 문화적 중요성 때문에 최근 들어 과학기술에 대한 관심, 그리고 과학기술과 문화 일반의 연결에 대한 관심이 증대된 것과 비슷한 면을 찾아볼 수도 있다.

합되어 전문 과학 분야들을 형성했다는 것이다. 결국 위의 과정은 단순히 원래 철학 안에 있던 부분들이 철학으로부터 분리되어 나가기만 한 과정이 아니라, 철학 바깥의 요소들이 철학 내부에 존재하고 있던 요소들과의 '연결'과 '결합'을 통해 독자적인 분야를 형성해 나가는 과정이었던 것이다.

우선, 위에서 본 분리 과정에서 기술이 과학과 연결되었다. 아니면 기술이 과학에 연결되면서 이와 같은 분리가 일어났다고 말할 수도 있겠다. 기술이 과학과 연결되어 있다는 것은 오늘날의 상황에서는 당연한 것처럼 느껴지지만, 과학과 기술이 그 분야들의 성격상 본질적으로 연결되어야 할 분야들이었던 것은 아니다. 사실 자연에 관한 합리적·체계적 지식을 추구하는 과학과 인간 생활의 편리함을 추구하는 기술은 그 추구하는 목적부터가 다른 활동이었다. 따라서 과학혁명기 이전에는 기술과 과학은 분리되어 있었고, 기술과 과학에 종사하는 사람들은 서로 다른 취향을 가지고 다른 사회 계층에 속한 사람들이었다. 과학은 학문 속에 포함되었고 대학에 속해서 이론적 지식을 추구하는 사람들이 그에 종사했던 데 반해, 기술은 이와 분리된 채로 실제 생산과 경제 활동에 종사하면서 실제 문제 해결을 위주로 하던 사람들의 영역이었던 것이다.[19] 그런데 이같이 분리되어 있던 기술이 과학과 연결되는 현상이 과학혁명기에 일어났다. 그리고 흥미로운 것은 이처럼 과학이 기술과 연결되었다는 점이 과학이 철학으로부터, 그리고 학문 일반으로부터 분리되는 데에 기여한 면도 있었다는 사실이다.

이렇게 철학 내부의 부분들과 연결되고 결합되어 간 철학 외부의 요소들은 주로 실용적·실제적인 전통에 속하는 것들이었다. 먼저 인간 생활의 실제 필요에 의해 고대의 모든 문화권에 존재했던 천문, 계산, 의료 등의 실용적 지식의 전통들을 들 수 있다. 물론 철학 내부에서도 인간과 자연에 대해 다루면서 이들 분야들과 관련된 주제들을 탐구한 것은 사실이지만, 그 같은 철학적 관심과는 별도로 순전히 실용적인 목적을 지닌 지식 전통이 고대로부터 철학 바깥에 존재하고 있었던 것이다. 다음으로 들 수 있는 것은 지식이라고 하기보다는 '기예'技藝(technical arts)라고 부를 수 있는 것인데, 여러 가지 생산기술과 연금술, 마술 등의 전통들이 그것이다. 이것들은 고대 이래 철학으로부터 철저하게 ── 위의 실용적 지식 분야들보다 더 철저하게 ── 단절된 상태에서 철학자들과는 전혀 다른 유형의 사람들에 의해 수행되었다. 그리고 과학 분야들이 철학으로부터 분리되어 독자적인 분야들로 자리 잡는 과정에서 바로 이들 실제적·실용적 지식과 기예의 전통들이 철학 내부의 자연 탐구 전통 ──'자연철학' ── 과 연결되고 결합되는 일이 일어났다.

이들 중 천문, 계산, 의료 등 실용적 '지식' 분야들은 서양에서는 사실상 고대에서부터 자연철학과 얼마간 연결되기 시작했고, 그 연결이 본격적으로 되면서 그 분야들이 독자적인 과학 분야로 발전하는 일이 일어났다. 천체와 우주에 대해 다루는 우주론은 고대부터 자연철학의 중요한 주제였으며 항상 실용적인 천문 지식이 그에 이용되었는데, 헬레니즘 시기에 고대 그리스의 우주론이 바빌론 지역의 실용적 천문 지식과 본격적으로 결합하면서 천문학이 독자적인 과학 분야의 성격을 지닐 정도로 발전했다. 그리고 고대 과학이 쇠퇴한 후 중세를 통해 우주론과 분리된 채 계산 위주로 진행되어 온 유럽 천문학이 다시 우주론과 결합했을 때 코페르니쿠스의 천문학 혁명이 일어날 수 있었다. 실용적인 의료 지식도 모든 고대 문화들에 공통된 것이었는데, 그것이 자연철학자들의 인체에 대한 탐구와 연결된 후에 '의학'이라고 부를 수 있게 되었다. 실용적인 계산 지식 역시 수數와 도형의 양적量的 관계에 대한 철학적 관심에 바탕해서 '수학'이라는 분야를 형성했으며, 과학혁명기에 이르러 고대 그리스의 기하학 전통이 실용적인 계산 및 문제 해결을 위주로 하는 대수학 전통과 연결되면서 해석학을 중심으로 한 근대 수학이 형성되었다.

과학혁명기 이전에는 자연철학과 분리되어 있었던 실제적 '기예'의 전통들 또한 자연철학과의 연결을 통해 과학 분야들을 형성했다. 물질의 성질과 변화에 대한 자연철학의 관심이 연금술, 의료, 약물, 금속 및 각종 생산기술에서의 실제 지식과 연결되어 '화학'이라는 독자적인 전문 분야가 성립되었으며, '물리학'이 성립되는 데에는 빛, 열, 전기, 자기, 소리, 기체 등에 관한 여러 갈래의 실제 경험 지식들과 자연철학의 연결이 마찬가지로 필요했다. '생물학' 분야도 생명에 대한 자연철학의 관심이 식물, 동물, 음식, 약물 등에 관한 자연사적 지식 및 해부, 의료 등의 지식과 연결되면서 형성되었다.

한편 이렇듯 과학기술의 전문화는 실용적 기술과 경험적 지식이 과학화, 학문화되는 성격을 띠었으며, 이에 따라 전문화된 분야의 지위

prestige 상승으로 이어졌다.* 그렇게 된 데에는 실제적 지식 및 기예와 자연철학적 관심 및 탐구와의 연결이 지식 내용면에서만 일어난 것이 아니라 이 두 갈래 전통의 인적·사회적 연결이기도 했다는 점이 중요했다. 자연에 대한 철학적 탐구에 종사했던 철학자들과 실용적 지식 및 실제 기예에 종사했던 기술자, 장인匠人 등 그동안 사회적으로 서로 분리된 채 활동해 오던 서로 다른 두 유형의 사람들이 지식과 방법을 공유하게 되고 함께 활동하면서 사회적으로 연결되는 일이 위의 과학 분야들이 독자적인 분야들이 되는 데 기여했고, 이 같은 연결은 대체로 후자에 속했던 사람들의 지적·사회적 지위 상승과 함께했다.** 의학부가 중세 대학의 전공학부가 됨으로써 단순한 치료와 처방 위주였던 의료 지식이 전문 학문으로서 '의학'으로 확립된 일, 그리고 훨씬 후의 일이지만 대학에 '공학'engineering 학과들이 생기면서 기술에 대해 학문적으로 다루는 전문 분야로서의 '공학'이 확립될 수 있었던 일도 비슷한 종류의 인적·사회적 연결이 이들 분야의 전문 과학화와 지위 상승에 함께 기여했음을 보여준다고 할 수 있다.

그러나 앞에서도 잠깐 언급했듯이 전문 과학 분야들의 형성에 철학과 학문 바깥의 이 같은 요소들과의 연결이 있었다는 사실이 오히려

---

* 이는 다음 장에서 좀 더 자세히 살펴볼 것처럼, 전통 동양 사회에서 전문화가 오히려 지적 지위의 저하로 이어진 것과는 대조적이다.
** 그 같은 연결은 실제 기예에 종사하는 사람들의 자연에 대한 적극적·활동적 태도를 학자들이 받아들여 근대 과학의 실험적 특성으로 자리 잡게 하기도 했다. 김영식, 『과학혁명』 제1부 4장을 참조할 것.

새로운 과학이 대학에 자리 잡기 힘들게 한 면도 있는데, 이는 중세 대학에 굳게 자리 잡고 있던 아리스토텔레스 과학의 상황과 크게 대조적이다. 특히 기술에 대한 학문적·과학적 추구인 공학은 대학에 들어가는 데 큰 어려움을 겪었으며, 한참 동안을 기다려야 했다.[20] 물론 시간이 지난 후에 전문 과학 분야들은 대학으로 들어갔고, 학문적인 인정을 받게 되었다. 그리고 자연과학 분야들만이 아니라 사회과학 분야들과 '인문학' 분야들도 전문화되어 함께 들어갔다.

한편, 이렇게 여러 전문 분야를 받아들인 후에도 대학 안에서의 과학과 인문학의 분리 상태는 여전했다. 대학 안에서 과학 분야들과 인문학 분야들이 융합되지 못하고 이들이 서로 분리되어 있는 상태가 지속되었던 것이다. 실제로 대학 안에서 이들 전문 분야가 들어간 곳은 당초 '철학 학부'로 생각되었던 교양학부였는데, 이 교양학부가 흔히 'arts and sciences'로 불렸다는 사실이 그 같은 분리 상태를 잘 보여준다고 하겠다.* 굳이 두 단어를 사용한 데서 당시 대학에 인문학과 과학 ── 'arts'와 'science' ── 두 가지가 서로 다른 것이라는 인식이 뚜렷했음을 볼 수 있다. 이 같은 과학의 분리는 대학 속에서 더욱 진전되고 심화되어 와서, 결국 오늘날에 이르러서는 인문학과 인간의 여러 전문 지식 사이의 분리 상태, 심지어는 반대·대립의 상태에까지 이르게 되었다. 이른바 '두 문화'two cultures의 문제 ── 새로운 '과학

---

* 우리나라에서는 이를 '문리과' 대학이라고 번역하는데, 이 표현 역시 그 같은 분리 상태를 반영하고 있다.

문화'scientific culture와 전통적인 '인문 문화'humanistic culture 사이의 분리——가 점점 심해진 것이다.[21]

고대 이래 서양에서 받아들여지고 있던 몇 가지 구분이 과학, 기술, 인문학 사이의 관계를 더욱 복잡하고 흥미 있게 만들었다. 우선 자연적nature인 것과 인공적artificial인 것 사이의 아리스토텔레스적 구분이 인공적인 것을 다루는 기술과 자연에 대해 다루는 과학을 서로 대립되는 관계로 인식하게 했다. 그런 면에서는 기술에서 오히려 인문학과 부합되는 면도 찾아볼 수 있었다.* 다른 한편 머리를 사용하는 작업과 손을 사용하는 작업, 즉 정신적인 작업과 육체적인 작업 사이의 전통적인 구분은 기술과 인문학을 대립 관계에 놓이도록 했다. 그런데 지적인 작업과 육체적인 작업 모두에 해당된다고 볼 수 있는 '예술'의 경우에는 상황이 더욱 복잡했다. 영어의 'arts'라는 단어가 예술과 기술을 동시에 나타내 줄 뿐만 아니라 위의 'arts and sciences'라는 표현에서 보듯 '인문학'의 의미까지도 포함하는 것은 이런 복잡한 상황을 잘 보여준다고 할 수 있겠다.

---

* 그 같은 기술과 인문학 사이의 연결은 'poetic'한 것과 'productive'한 것을 같은 종류로 본 아리스토텔레스로까지 거슬러 올라갈 수도 있다.

5

맺음말

앞 절들에서 서양의 학문 전통 속에 나타나는 과학의 위치와 역할, 그리고 서양 지식인들의 과학에 대한 태도를 살펴보면서 두드러지게 드러나는 점은 그것이 계속 변화했으며 그 변화 또한 한 방향으로의 단순한 변화가 아니라 두 극단적인 태도 사이에서 왕복하는 '진동' oscillation이었다는 사실이다. 과학혁명과 계몽사조, 그리고 산업혁명을 거치면서 서양 사회에서 과학기술의 지위는 드높아졌고, 과학을 선호하는 풍조, 심지어는 '과학지상주의적' 조류가 크게 떨쳤다. 그러나 역사상 어떤 한 가지 조류가 극단적으로 심화되었을 경우 항상 그러했듯이, 곧 이 같은 '과학주의'적인 경향에 대한 반작용이 나타났다.

유럽의 역사에서 그 같은 반작용은 대체로 두 갈래로 나타났다. 먼저 문화, 예술 전반에 걸친 낭만주의Romanticism 사조의 일환으로 과학에 대한 반감, 특히 수학화되고 기계화된 과학이 인간의 욕구나 감정 등과는 무관해지고 자연으로부터 생명과 조화調和, 신비, 멋 같은 것들을 제거해 버린 데 대한 반감이 나타났다. 디드로Denis Diderot(1713~ 1784)에게서 처음으로, 그러나 섬세하게 나타나기 시작한 과학에 대한 이 같은 반감의 정서는 피히테Johann Gottlieb Fichte(1762~1814), 셸링 Friedrich Wilhelm Joseph von Schelling(1775~1854) 같은 사람들의 독일 '자연철학주의'Naturphilosophie에서 뚜렷이 드러났다. 블레이크William Blake(1757~1827)는 그 같은 반감을 가장 강력하게 표현했고, 괴테 Johann Wolfgang von Goethe(1749~1832)의 뉴턴 색깔 이론에 대한 비판도 그 같은 반감에 기반하고 있었다.[22] 공리주의功利主義(utilitarianism)를 표방한 벤담Jeremy Bentham(1748~1832)에 대한 낭만주의자 콜리지Samuel Taylor Coleridge(1772~1834)의 반감도 같은 성격의 것이었다.*

다른 한 갈래는 위의 반감과 어느 정도 관련된 것으로, 과학이 너무 어려워지고 전문화되어서 지적 엘리트들의 전유물이 되었을 뿐만 아니라 권력과도 결탁해 통제와 억압의 수단으로 사용되게 되었다는 생각에서 생겨난, 정치적인 과격파들의 반감이었다. 프랑스 혁명기 구체제 과학을 지배한 과학아카데미의 폐쇄와 과학아카데미의 대표 과

---

* 1장에서 잠깐 언급한 헉슬리(Thomas H. Huxley, 1825~1895)와 아널드(Matthew Arnold, 1822~1888) 사이에 1880년대 초 '과학과 문화'를 둘러싸고 행해진 논의는 같은 종류의 반감이 계속 이어지고 있었음을 보여주며, 그 같은 반감은 1964년에 출판된 John H. Plumb (ed.), *Crisis in the Humanities* (Harmondsworth, 1964)에서도 광범위하게 표현되고 있다.

학자였던 라보아지에Antoine Laurent Lavoisier(1743~1794)의 처형은 그 같은 반감이 극단적으로 표출된 예였다고 할 수 있다.[23]

과학의 힘과 효능을 믿는 과학에 대한 선호의 조류와 과학에 대한 반감 사이의 이 같은 '진동'은 정치적인 분위기와 연결되기도 하면서 되풀이되었다. 어떻게 보면 이 같은 진동은 고대 이래 서양 역사상 끊임없이 되풀이되어 왔다고 할 수 있다. '소크라테스 이전' 철학자들이 우주에 대한 관심에서 인간 문제를 소홀히 한 데 대한 소크라테스와 플라톤의 반작용, 중세 대학의 스콜라 학문이 논리학과 자연철학 위주였던 데 대한 르네상스 인문주의자들의 반작용, 그리고 계몽사조기 뉴턴 과학의 득세와 이에 대한 낭만주의의 저항은 바로 이런 되풀이의 예들이다. 그 후에도 제2차 세계대전과 원자탄 등을 겪은 후의 반과학적 정서, 그리고 스푸트니크Sputnik 충격에 영향받아 다시 추진된 과학 진흥 정책과 베트남전에 대한 반전 운동의 분위기 속에서 다시 나타난 반과학적 움직임 등 이 같은 '진동'은 여러 형태로 되풀이되고 있다.[24] 그리고 되풀이되는 과학에 대한 이런 반작용들 밑에는 과학의 기계화, 어려움, 고가와高價化, 엘리트화 등 과학에 의한 인간의 소외를 빚어 온 것으로 일반인들, 특히 인문학자들이 느끼는 과학의 속성들에 대한 반감이 깔려 있다고 말할 수 있다.

한편 과학자들의 인문학에 대한 반감도 뿌리 깊다. 앞 장에서도 지적했지만 베이컨의 '시장의 우상'이 이 같은 반감을 표현했으며, 실험 과학을 표방하던 영국 왕립학회의 과학자들은 언어와 수사修辭에 빠져 허덕이며 아무런 확실한 지식이나 유용한 결과를 내지 못하는 전통 학문을 비판하면서 신학, 형이상학, 윤리, 정치, 문법, 수사학, 논리학 등 인문학이라 부를 수 있는 분야들을 예로 들었다.[25]

위에서 본 과학에 대한 인문학자들의 반감이나 인문학에 대한 과학자들의 반감, 이 두 가지 태도 모두 과학을 인문학 또는 일반 문화로부터 분리시키는 데 기여했다. 물론 이 두 가지 태도 각각이 생겨난 구체적인 상황을 살펴보면 그것들을 이해해 줄 만한 근거가 있다. 과학혁명 이후 지속적으로 진행된 과학의 전문화가 그 같은 태도를 심화시켰고, 그 결과 과학이 일반 문화로부터 유리되는 상태를 심화시켰던 것이다. 그리고 앞 장에서도 보았지만, 사실 19세기 후반에는 그 같은 분리가 가능해 보이기도 했다. 19세기 후반에 이미 사회, 문화 속에서의 과학기술의 중요성이 커지고 있기는 했지만, 오늘날과 같이 과학기술이 사회와 문화의 전 영역에 속속들이 배어들어 있는 상황은 아니었다.

그러나 20세기 후반에 들면서는 학문과 사회 양쪽 모두가 변화함에 따라 상황이 달라져 왔으며, 더 이상 과학과 일반 문화를 분리하는 것이 가능하지 않게 되었다. 사실 전문 과학 분야들의 분리가 진행되던 19세기 후반에는 아직 각 분야의 발전 초기 단계여서 분야 자체에 집중된 활동을 통해 전문화를 진전시킬 필요와 요구가 있었기에 그 같은 분리가 큰 문제를 빚지 않고 오히려 전문 분야들의 발전에 도움이 된 면도 있었는데, 이제 20세기 후반이 지나면서 문제가 심각해져 가고 있는 것이다. 이런 상황에서 과학자들과 인문학자들이 서로에 대해 반감을 지닌다는 것도 이제는 근거가 없어졌다. 사실 위에서 본 두 가지 태도 사이에서 끊임없는 진동이 있어 왔다는 사실 자체가 바로 두 가지 중 어느 한쪽도 근본적으로 만족할 만한 입장이 되지 못하기 때문이라고 할 수 있다. 결국 이 두 가지 극단적인 태도가 해소되고 그 사이에서 조화를 찾게 되어야만 할 것이고, 그렇게 되어야만 과학의 분리 상태에서 벗어나고 연결을 이루어 낼 수 있게 될 것이다. 그리고 실제로 그 같은 방향으로의 움직임이 일어나고 있음을 보게 된다.

주

1 David L. Wagner (ed.), *The Seven Liberal Arts in the Middle Ages* (Bloomington, Indiana: Indiana University Press, 1983).

2 중세 대학의 출현과 대학에서의 교육에 대해서는 Edward Grant, *Physical Science in the Middle Ages* (New York: Wiley, 1971); 번역본: 에드워드 그랜트, 홍성욱·김영식 역, 『중세의 과학』 3장(민음사, 1992). Pearl Kibre and Nancy G. Siraisi, "The Institutional Setting: The Universities", David C. Lindberg (ed.), *Science in the Middle Ages* (Chicago: University of Chicago Press, 1978), 120~144쪽 등을 볼 것.

3 Grant, 『중세의 과학』 2장.

4 이 같은 측면을 포함해서 중세 과학의 여러 측면에 관해서는 Lindberg, *Science in the Middle Ages*에 실린 글들을 볼 것.

5 Grant, 『중세의 과학』, 44~45쪽.

6 같은 책, 42쪽을 볼 것.

7 물론 '인문학'(humanities, humanitas)이라는 말은 그 전에도 사용되었고, 로널드 크레인(Ronald S. Crane)은 그 기원을 A. D. 2세기의 겔리우스(Aulus Gellius)에서 찾기까지 하지만, 이것이 오늘날과 같은 '인문학'의 의미를 지녔다고 보기는 힘들다. Ronald S. Crane, *The Idea of the Humanities and Other Essays Critical and Historical*, 2 volumes (Chicago: University of Chicago Press, 1967), vol. 1, 23쪽.

8 Robert S. Westman, "Proof, Poetics, and Patronage: Copernicus's Preface to De Revolutionibus", David C. Lindberg and Robert S. Westman (eds.), *Reappraisals of the Scientific Revolution* (Cambridge: Cambridge University Press, 1990), 167~205쪽.

9 Paul Lawrence Rose, *The Italian Renaissance of Mathematics: Studies on Humanists*

and Mathematicians from Petrarch to Galileo (Travaux d'Humanisme et Renaissance, Droz, Geneva, 1975); Pamela O. Long, *Openness, Secrecy, Authorship: Technical Arts and the Culture of Knowledge from Antiquity to the Renaissance* (Baltimore: Johns Hopkins University Press, 2001), 특히 chap. 4·6.

10 Owen Hannaway, "Georgius Agricola as Humanist", *Journal of the History of Ideas 53* (1992), 553~560쪽; Pamela O. Long, *Openness, Secrecy, Authorship*, 184 ~185쪽.

11 과학혁명에 관한 일반적인 논의로 A. Rupert Hall, *The Revolution in Science*, 1500- 1750 (London: Longman, 1983); Steven Shapin, *The Scientific Revolution* (University of Chicago Press, 1996)-번역본: 스티븐 샤핀, 한영덕 역, 『과학혁명』 (영림카디널, 2003); 김영식, 『과학혁명: 전통적 관점과 새로운 관점』(아르케, 2001) 등을 참조할 것.

12 이 절의 여기까지의 내용에 대한 더 자세한 논의는 Richard H. Popkin, *The History of Skepticism from Erasmus to Spinoza* (Berkeley: University of California Press, 1979); 김영식, 『과학혁명』 제1부 5장을 볼 것.

13 Richard S. Westfall, *The Construction of Modern Science: Mechanisms and Mechanics* (New York: Wiley, 1971), 105쪽; 번역본: 리처드 S. 웨스트팔, 정명식·김동원·김영식 역, 『근대과학의 구조』(민음사, 1992). John Gascoigne, "A Reappraisal of the Role of the Universities in the Scientific Revolution", David C. Lindberg and Westman, Robert S., *Reappraisals of the Scientific Revolution*, 207~260쪽은 과학혁명기 대학의 과학에 대해 웨스트팔(Westfall)보다 더 긍정적인 평가를 하고 있다.

14 실제로 19세기에 이르러서도 오늘날 과학 분야들에 해당되는 내용들은 유럽의 대학들에서 '자연철학'(natural philosophy)이라는 이름으로 불리고 있었다. Edward Grant, *The Foundations of Modern Science in the Middle Ages: Their Religious, Institutional and Intellectual Contexts* (Cambridge University Press, 1996), 193쪽.

15 김영식·임경순, 『과학사신론』(다산출판사, 1999), 21장.

16 같은 책, 22장.

17 Grant, *The Foundations of Modern Science in the Middle Ages*, 193쪽.

18 I. Bernard Cohen, "The Scientific Revolution and the Social Sciences", I. Bernard Cohen (ed.), *The Natural Sciences and the Social Sciences: Some Critical and Historical Perspectives* (Boston: Kluwer Academic Publishers, 1994), 153~203쪽; 홍성욱, 『인간의 얼굴을 한 과학: 융합 시대의 과학 문화』(서울대학교출판부, 2008), 6~8쪽.

19 과학과 기술 사이의 관계에 대한 간단한 역사적 논의는 김영식, 「역사 속의 과학과 기술」, 『과학, 역사 그리고 과학사』(생각의나무, 2008), 65~86쪽을 볼 것.

20 홍성욱, 「인간과 기계, 인문학과 테크놀로지」, 『테크네 인문학을 향하여』(연세대학교 미디어아트연구소, 2008. 5. 22 테크네심포지엄 1 발표 자료집), 8~23쪽 중 11~12쪽.

21 Charles P. Snow, *The Two Cultures and the Scientific Revolution* (Cambridge: Cambridge University Press, 1959); 번역본: C. P. 스노우, 오영환 역, 『두 문화』 (사이언스북스, 2001). 과학과 인문학의 분리에 관한 또 다른 논의로 Isaiah Berlin, "The Divorce between the Sciences and the Humanities", *The Proper Study of Mankind* (London: Chatto and Windus, 1997), 326~358쪽이 있다.

22 Charles C. Gillispie, *The Edge of Objectivity* (Princeton: Princeton University Press, 1960); 번역본: 찰스 길리스피, 이필렬 역, 『객관성의 칼날: 과학 사상의 역사에 관한 에세이』(새물결, 1999), 5장.

23 Charles C. Gillispie, "The Encyclopedie and the Jacobin Philosophy of Science: A Study in Ideas and Consequences", M. Clagett (ed.), *Critical Problems in the History of Science* (University of Wisconsin Press, 1959), 255~289쪽; 번역본: 「백과전서와 쟈꼬뱅 과학철학」, 김영식 편, 『역사 속의 과학』(창비, 1982), 247~285쪽.

24 Theodore Roszak, *The Making of a Counter Culture: Reflections on the Technocratic Society and Its Youthful Opposition* (Doubleday, 1969); 홍성욱, 『인간의 얼굴을 한

과학: 융합 시대의 과학 문화』, 12~16쪽.

25 홍성욱, 위의 책, 103쪽.

3장

동아시아 유가 전통과 과학

I

머리말

앞 장들에서 되풀이 지적했듯이, 오늘날 '인문학'이라고 하면 현대 사회의 지배적인 요소들인 과학, 기술, 경영 등과 구분되고 대비되며, 심지어는 이 요소들과 반대되는 것으로 생각하는 경우가 많다. 그중 에서도 특히 과학은 인문학과 반대되는 것으로 흔히 생각한다. 그리 고 학문의 성격상 인문학과 과학을 이처럼 구분하고 대비하는 것이 실제로 어느 정도 가능하고, 그 같은 구분이 실제로 존재하는 것도 사 실이다. 그러나 인문학과 과학 사이의 이러한 엄격한 구분과 분리 상 태는 16, 17세기 서양의 과학혁명 이후 근대 과학의 전문화 및 실용화 과정에서 생겨나고, 그 후 점차 심화되어 굳어진 것이다. 그 전에는 서 양과 동양 양쪽 모두에서 그 같은 분리가 없었다.

특히 동양의 경우를 두고는 이 같은 분리 상태가 당연했고, 과거부터 그러했던 것으로 생각하는 경우가 많다. 그러나 실제 전통 시기 동아시아의 상황을 살펴보면 이런 생각은 크게 잘못된 것임이 드러난다. 동양 전통 사회의 주된 지식 계층이었던 유학자儒學者들이 자연과 과학에 상당히 많은 관심을 보였으며, 많은 유학자들이 상당 수준의 과학 지식을 지니고 있었던 것이다. 우리나라의 예만 들어 보아도 이황李滉(1501~1570), 이이李珥(1536~1584) 등 수많은 철학자들이 과학적·전문적 주제들에 관심을 지녔다. 김석문金錫文(1658~1735), 이익李瀷(1681~1763), 홍대용洪大容(1731~1783) 등 과학 지식을 통해 우리에게 알려진 학자들은 과학 분야의 전문가들이 아니라, 그들 또한 다른 유학자들과 마찬가지로 경학經學, 역사, 문학 등을 중심으로 한 일반 인문 교육을 받은 학자들이었다. 그들이 인간과 사회 문제에 관심을 갖고 폭넓은 학문을 추구하는 과정에서 그 일환으로 그 같은 과학 지식에 관심을 기울이고 공부했던 것이다. 오늘날 우리나라에서 과학과 인문학의 분리가 심하고 때로는 그 원인을 동아시아 전통에서 찾으려 들기도 하지만, 이 같은 분리 상태는 동아시아 전통 지식인인 유학자들의 본래 모습에서 볼 수 있는 것은 아니다. 과학과 인문학의 그 같은 분리 상태는 오히려 현대에 들어와 외래의 과학기술에 대한 반감이 작용해서 생긴 것이며, 더 직접적으로는 1장에서 본 것처럼 우리나라에서 극히 경직된 상태로 제도화된 문과-이과 구분 때문에 생긴 것으로 보는 것이 타당하다.

동아시아 유가儒家 학자들에게서 찾아볼 수 있는 과학기술에 관한 지식은 다음의 몇 갈래로 나타난다.

① 이리理, 기氣, 음양陰陽, 오행五行 등의 개념들을 포함한 기본적인 자연철학적 관념들

② 천지天地, 만물萬物, 사람〔人〕으로 이루어진 자연 세계에 대한 일반적인 지식

③ 역법曆法, 율려律呂(和聲學), 의학醫學, 지리地理, 수학 등의 분야들에서의 전문 지식(이 부류의 전문 지식에는 '과학기술'과의 관련을 보기 힘든 관제官制, 형정刑政, 재정, 군사 등 다른 여러 분야가 포함된다.)[1]

④ 각종 기술

⑤ 흔히 귀신鬼神과 연관되는 신비한 현상이나 풍수風水, 점복占卜, 연단煉丹 등의 각종 술수術數와 같이 자연 세계의 경계 영역에 속하면서 자연 현상과 관련되어 있는 주제들

물론 이 같은 지식의 여러 갈래가 과학기술이라는 하나의 분야를 이루거나 하나의 체계를 이루지는 않았지만, 이것들이 동아시아 전통 유학자들의 지식체계의 일부였음은 사실이다.

이 장에서는 우리나라를 포함해서 동아시아 학문과 사상을 지배했던 유가 전통에서 과학이 지녔던 위치에 대해 살펴볼 것이다. 특히 유학자들 사이에 과학기술에 대한 관심과 편견이 함께 존재했음을 보일 것이며, 자연에 관한 지식과 과학기술 지식이 그들에게 가장 중요한 것은 아니었지만 그 같은 지식이 유가 전통 지식의 일부분으로 포함되었고 결코 제외되지 않았음을 보일 것이다.

과학기술 지식에 대해 관심을 가지도록 한
유가 전통의 요소들

유가 전통의 기본 관념과 가정들 중 몇 가지가 유학자들로 하여금 과학기술 지식에 관심을 지니도록 하는 쪽으로 영향을 미쳤다.

(1) 철학 용어와 개념들

우선 여러 과학기술 전문 분야들이 중요한 철학 용어들과 개념들에 연관되어 있었고, 그에 따라 그 분야들에 중요성이 주어졌다. 예를 들어 유가사상에서의 '천'天 개념의 중요성으로 인해 물리적인 하늘을 다루는 분야인 역법이 유학자들에게 중요성을 지니게 되었다. 지리와 풍수는 유가사상에서 역시 중요했던 '천지'天地라는 용어의 다른 한쪽 반인 '지'地와 연결되었기에 중요성을 지니게 되었다. '예악'禮樂이라는 표현이 있을 정도로 음악이 유가의 예禮의 중요한 부분이었기 때문에 음악을 이루는 음音들 간의 수적 관계를 다루는 율려 분야 또한 중요했다. 마찬가지로 『주역』周易 및 그 속에 담긴 관념들과 괘卦들이 지녔던 중요성은 그것들에 대해 다루는 '상수'象數라는 분야, 그리고 상수학의 이론과 지식을 응용했던 점복과 연단 분야들의 중요성으로 이어졌다. 연단술, 특히 '양생'養生이라고도 부르는 '내단'內丹 형태의 연단술은 '도'道의 개념과도 연결되었는데, 왜냐하면 그것이 '도'를 추구하는 이른바 '도사'道士들이 수행하던 여러 술법 중 하나였기 때문이다. 유학자들은 이 같은 주제들을 깊이 탐구하면 이것들과 연관된 생각들과 개념들의 이理를 이해하는 데 분명히 도움이 될 것으로 생각했고 이에 따라 자연히 이들 분야들에 대해 유학자들이 관심을 지니고 공부하게 되었다.

(2) 격물(格物)

유가 전통에서 인간의 학문적·도덕적 자기 수양의 근본이었던 '격물'格物 개념도 유학자들이 자연 현상과 과학 지식에 관심을 갖는 데 기여했다. '격물'이라는 말은 유가의 가장 중요한 경전經典 중 하나인 『대학』大學 첫머리의 다음과 같은 구절에 나온다.

천하에 밝은 덕德을 비추고자 원했던 옛사람들은 먼저 (자신들의) 나라를 다스렸으며, 나라를 다스리기 위해서는 먼저 집안을 가지런히 해야 했고,

집안을 가지런히 하기 위해서는 먼저 자기 자신을 수양해야 했으며, 자기 자신을 수양하기 위해서는 먼저 마음을 바르게 해야 했고, 마음을 바르게 하기 위해서는 먼저 뜻을 참되게 해야 했으며, 뜻을 바르게 하기 위해서는 먼저 '지식을 확장'〔致知〕해야 했다. 지식의 확장은 격물에 있다.[2]

'격물'은 이후 유학자들에 의해 '사물의 이理를 탐구한다'는 의미를 지닌 것으로 받아들여졌으며, 이 같은 격물의 강조는 유학자들로 하여금 인간사의 모든 영역에서 모든 구체적인 사물들을 탐구하여 그 '이'를 이해하는 노력을 중요하게 여기도록 했다.[3] 예를 들어 조선 시기 우리나라를 비롯해 13세기 이후 수세기 동안 동양의 학문과 지식을 지배한 주희朱熹(1130~1200)는 세상의 모든 사물은 '이'를 지니고 있으므로 그것들을 연구하고 이해해야 한다고 반복해서 이야기했다.

천하의 일은 모두 학자가 알아야 하는 것이다. 그리고 그 이理가 경전에 실린 것(일)들은 각각 그 주관하는 바를 지니고 있어서 서로 변통할 수 없다. 어려운 것을 버리고 쉬운 것을 취하거나 하나만을 볼 뿐 나머지 것들에 이르지 못한다면 천하의 일 중 반드시 그 '이'를 완전히 이해할 수 없는 것이 있을 것이다.[4]

물론 왕양명王陽明(1472~1528)처럼 격물에 대한 주희의 해석에 반기를 든 사람들이 있었던 것은 사실이지만 구체적인 사물 탐구를 강조하는 이 같은 격물 이론은 주희 이후 전통 시기 유학자들 사이에 지속적인 영향을 미쳤다. 예를 들어, 『본초강목』本草綱目의 저자 이시진李時珍 (1518~1593)이나 『천공개물』天工開物의 저자 송응성宋應星(1587~1666?)처럼 폭넓은 전문 과학지술 지식을 지녔던 학자들이 여러 기술적인 지식에 관한 책을 쓰고 그 같은 전문 과학기술 지식을 공부하는 일의 중요성을 강조하면서 그러한 주장을 '격물' 이론을 내세워 뒷받침했다.

『논어』論語에 나오는 몇 가지 표현이 '격물'에 대한 이 같은 해석을 뒷받침하는 것으로 받아들여졌다. '널리 공부한다'는 뜻의 '박학'博學이라는 말이 좋은 예로서,[5] 이 표현은 모든 것을 공부하고 이해해야 한다는 주장을 뒷받침하는 데 흔히 사용되었다. 예를 들어 주희는 "대학大學의 도는 반드시 격물과 치지致知로 시작하여 천하의 '이'로 (나아가야 한다). 천하의 책은 '널리 공부하지'〔博學〕 않을 것이 없다"[6]고 말했으며, 옛사람들은 실제로 그러했는데, 그에 반해 자신의 동시대 사람들은 구체적인 일들을 소홀히 한다고 해서 그들을 비난했다. 명백히 드러나고 알기 쉬운 구체적인 일들에서부터 시작해서 더 어려운 것으로 나아가야 한다는 뜻을 지닌 '하학상달' 下學上達(아래서 배워 위에 도달한다)이라는 말도 같은 식으로 해석되었다.[7] "인仁에 의지하고 예藝에서 노닌다" 依於仁, 游於藝는 말[8]에 대해서는 주희는 다음과 같이 이야기했다.

'예'藝 또한 이해하지 않으면 안 된다. 만일 예절〔禮〕, 음악, 활쏘기, 수레다루기, 글씨 쓰기, 산술 중 어느 하나라도 이해하지 못하면 이 마음은 곧 엉키고 막힘을 느낄 것이다. 하나하나를 모두 이해했을 때만 이 도리와 맥

락이 비로소 하나하나 흘러 통하기 시작하고, 그 같은 엉킴과 막힘이 없을 것이다.[9]

(3) 표준적 문헌들

몇몇 분야의 과학 지식은 학자들에 의해 널리 공부되던 표준적 문헌들 안에 담겨 있었다. 특히 유가 경전들에서 자연 현상이나 과학 지식을 언급하는 경우 유학자들은 그 같은 구절들의 주해註解에서 그런 현상이나 지식에 대해 자세히 논의했고, 그런 논의 과정에서 전문적인 과학 지식을 사용하는 경우도 많았다. 대표적인 예가 『서경』書經 「순전」舜典의 "선기옥형이제칠정"璇璣玉衡以濟七政〔선기옥형(혼천의)으로 칠정, 즉 일(日)·월(月)·오행성(五行星)을 가지런히 한다〕이라는 구절과 「요전」堯典의 "기삼백유육순유육일"朞三百有六旬有六日(한 해 366일)이라는 구절인데, 많은 유학자들이 이 두 구절을 주해하면서 천문의기天文儀器 및 치윤법置閏法에 관해 자세히 논의했다. 『예기』禮記 「월령」月令 편도 자연 현상들을 많이 언급하고 있으며, 「악기」樂記 편은 음악에 관해 다루고 있어서 이들 편을 논의하면서도 천문과 율려 분야의 지식이 많이 논의되었다. 유학자들은 또한 여러 다른 경전, 특히 『시경』詩經에 이름이 나오는 수많은 동식물들에 대해서도 자세히 논의했으며, 실제로 『시경』에 이름이 나오는 종들을 확인하고 설명하는 것이 학자들이 관심을 가져야 할 하나의 확고한 주제가 되기도 했다.[10] 그 결과 위에 말한 경전들의 표준 주해서들은 아주 자세하고 전문적인 과학 지식을 논의하는 구절들을 자주 포함하게 되었다. 우리는 그 같은 구절들에서 텍스트에 대한 유학자들의 '인문학적' 연구와 과학기술 지식이 함께 나타남을 볼 수 있다.

중국의 역대 왕조에서 공식적으로 편찬한 사서史書인 정사正史들도 거의 예외 없이 예禮와 악樂뿐만 아니라 천문, 역법, 율려, 지리 분야의 지志들을 포함했는데, 이 '지'들은 해당 분야의 전문 과학 지식을 많이 담고 있었으며, 유학자들에게 그 같은 지식의 표준 출전出典 역할을 했다. 또한 학자들이 직접 쓴 책들도 전문 과학 지식을 포함하는 경우가 있었다. 가장 유명한 예는 두우杜佑(735~812)의 『통전』通典과 심괄沈括(1031~1095)의 『몽계필담』夢溪筆談으로, 온갖 종류의 주제들을 다루는 이 책들을 수많은 후대 유학자들이 공부했으며, 자신들의 논의에서 자주 인용했다.

많은 학자들이 이 같은 주해들과 '지' 등 표준 문헌들에 담긴 전문 과학 지식을 공부했으며, 이에 대한 그들의 이해는 상당한 수준까지 도달했다. 주희가 좋은 예인데, 그는 특정 분야나 문제에 대해 이 같은 표준 문헌들 중 어느 것이 우수한가에 대해 스스로 평가할 수 있다고 자신할 정도로 상당한 수준에 이르러 있었다.* 주희 이외에도 채원정

---

* 실제로 이 같은 일은 주희로서는 당연히 할 수밖에 없는 일이었다. 왜냐하면 그가 일단 전문 분야들의 중요성과 그것들을 공부해야 할 필요성을 주장하고 나면, 그것들을 공부하는 데 어떤 문헌이 가장 훌륭하고 적절한 것인지를 결정해 주어야 했기 때문이다. 이는 도덕적·사회적 주제들을 두고도 그가 했던 일이었다.

蔡元定(1135~1198)의 율려 전문서인 『율려신서』律呂新書라는 책은 주희가 서문을 썼으며, 『성리대전』性理大全에 포함되기도 했다.

(4) 관료의 실용적 필요

이들 중 몇몇 분야의 지식은 유학자들이 관직을 맡아 공무를 수행하게 되었을 때 실제로 필요한 것들이었다. 물론 전통 중국의 관제에는 역법, 산학算學, 의료 등 과학기술과 관련된 전문 분야들을 전담하고 그 분야의 전문가들로 충원된 전문 직제가 갖추어져 있었다. 그러나 일반 관료들도 전문 지식을 포함한 업무에 접하는 일이 많았고, 보통 자신들보다 더 낮은 직위를 지닌 전문 관료들을 관리하고 감독해야만 했다. 따라서 잠재적인 관료였던 유학자들은 당연히 이 분야들에 일정 정도의 지식을 갖출 실용적 필요가 있었다. 그리고 이 같은 필요성 때문에 관료들이 이들 전문 분야의 지식이 포함된 실무 지침서들을 쓰는 일이 자주 있었으며, 또한 이 같은 주제들은 '시무' 時務라는 범주로 과거 시험에 포함되기도 했다. 농업 또한 중요했다. 대부분 지주地主였던 유학자들이 농업에 관심을 지니는 것은 당연했다. 그들이 지방 관직에 있을 때는 '권농' 勸農 업무가 그들에게 주어졌으며, 관직을 떠나 향리에 기거하게 되면 직접 농업 경영에 종사하기도 했다. 조선 후기 서유구徐有榘(1764~1845)의 방대한 저작 『임원경제지』林園經濟志는 그 같은 유학자의 관심을 보여주는 좋은 예이다.

이 절에서 살펴본 여러 요소의 영향으로 유학자들은 과학기술을 포함한 여러 전문 분야의 지식의 중요성을 인식하고 있었으며, 실제로 이들 분야에 관심을 가지고 공부했다. 예를 들어 주희는 "율려, 역법, 행형, 법률, 천문, 지리, 군사, 관직 같은 것들도 모두 이해해야만 한다"[11]거나, "의례儀禮, 음악, 관제官制, 천문, 지리, 병법兵法, 행형行刑, 법률에 속하는 것들도 역시 모두 세상을 위해 필요하며 빠뜨려서는 안 된다. 모두 익히지 않으면 안 된다"[12]고 이야기하는 등, 이들 전문 분야도 모두 공부해야 하며 소홀히 해서는 안 된다고 주장했다. 그리고 다음에서 더 자세히 살펴보겠지만, 그는 이들 분야의 지식을 실제로 공부하기도 하고 상당한 수준에 도달하기도 했다.

3

과학기술에 대한 편견을 빚은 유가 전통의 요소들

동아시아의 유가 전통 학문 속에서 과학기술 지식이 지니는 중요성에는 얼마간 한계가 그어져 있었으며, 그 같은 한계가 지어지는 데 역시 유가 전통 사상의 몇몇 기본 관념이나 구절들이 영향을 미쳤다.

(1) '형이상'(形而上)과 '형이하'(形而下)의 양분법

유가 전통 사상 속에는 많은 양분법兩分法(dichotomy)들이 존재했다. 그중 가장 근본적이라고 할 수 있는 것은 『주역』「계사전」繫辭傳의 유명한 구절, " '형이상'形而上의 것을 일러 도道라 하고, '형이하'形而下의 것을 일러 기器라 한다"形而上者謂之道, 形而下者謂之器로까지 거슬러 올라가는 도道와 기器 사이의 양분법이었으며, 그 외에도 '이'理와 '기'氣,

'이'와 '수'數 사이의 양분법과 같은 여러 양분법이 있었다. 이 같은 양분법들 또한 자연 현상과 과학 지식에 대한 유학자들의 태도에 영향을 미쳤다. 이 양분법에 따르면 '도', '이', '인'仁, '심'心, '성'性 등 형形이 없는 추상적이고 고상한 개념들이 '형이상'에 속했다. 그리고 이두 갈래 중 지각知覺할 수 있는 형체를 가지고 눈에 보이는 구체적인 사물들은 '형이하'에 속했는데, 유학자들은 형形이 있고 눈에 보이는 것들은 이해하기 쉽고 명백한 반면 형이 없는 것들은 이해하기 어려운 것이라고 여기게 되었다. 예를 들어 주희는 "형이상은 '이'理를 가리켜 말하고 형이하는 사물을 가리킨다. …… 사물은 볼 수 있으나 그 '이'는 알기 힘들다"[13]고 이야기했다. 그런데 이 같은 양분법을 받아들이게 되면, 위의 두 갈래 중 이해하기 힘든 것은 중요하고 따라서 더고찰하거나 깊이 탐구할 가치가 있는 것으로 여겨지고, 이해하기 쉬운 것은 명백하거나 심지어는 하찮게까지 여겨지게 되는 것은 자연스러운 일이었다. 주희가 다음과 같이 이야기한 것은 그 같은 생각을 염두에 두고서였다.

사물은 보기 쉽고 마음은 형체나 도수[度]가 없다. 사물의 무게와 길이는 쉽게 잴 수 있으나 마음의 무게와 길이는 재기 힘들다. 사물이 차이가 나면 한 가지 일만 차이가 나지만 마음이 차이가 나면 만 가지 일이 차이가 난다.[14]

이 같은 태도를 지닌 유학자들은 대부분 지각할 수 있는 성질과 물리적 효과를 수반하고 따라서 '형이하'에 속하는 자연 현상은 명백한 것으로 여기고 인간이 관찰한 형태 그대로 그냥 받아들였을 뿐 더 깊은 탐구를 시도하지 않았다. 이러한 경향을 보이는 전형적인 예를 천둥이 어디서 생기는가에 관해 정이程頤(1033~1107)와 소옹邵雍(1011~1077) 사이에 오간 유명한 대화에 대한 주희의 주해에서 찾아볼 수 있다. "당신은 〔천둥이〕 어디서 생긴다고 생각하는가"라는 소옹의 질문에 "〔천둥은 그것이〕 생기는 곳에서 생긴다"라고 정이가 대답했던 것인데, 이에 대해 주희는 "왜 꼭 그것이 어디서 생기는지를 알아야만 하는가"라고 반문했다.[15] 천둥이 생긴다는 사실은 사람들이 보고 겪은 대로 받아들이면 될 뿐, 굳이 그 근원이나 원인에 대해 깊이 따지고 탐구할 필요가 없다는 생각이었던 것이다. 그리고 '공'空, '무'無 같은 개념들을 내세워 외부 세계의 비실재성을 주장한 불교와 도가道家에 대항해 외부 세계의 실재성을 강조했던 유가의 전통적인 태도 또한 통상적으로 관찰되는 자연 현상을 더 이상 따지지 않고 쉽게 받아들이는 이러한 경향을 강화시켰던 것으로 보인다.[16] 이 같은 양분법을 받아들이는 의식 구조 속에서 동아시아의 전통 유학자들은 자연히 '형이하'인 자연 현상과 그에 관한 과학 지식을 등한시 여기게 되고, 심지어는 '형이상'에 속하는 것들과 '형이하'인 과학기술 사이에 일종의 상하 위계 같은 것이 있다고 느끼게 되기까지 했다고 할 수 있다.

그러나 상황은 그렇게 단순하지만은 않았다. '도'와 '기'의 이 같은 양분법과 도를 높이 여기고 기를 등한시하는 경향의 다른 한편에, 이 두 가지가 서로 분리 불가능하고 따라서 양쪽 모두 중요하다는, 즉

'도기불리'道器不離를 주장하는 경향이 지속적으로 존재했기 때문이다. 이중 후자의 경향을 강조하는 사람들은 '도'가 '기' 속에 존재하며 '기'가 없이는 '도'가 있을 수 없다고 말하기도 했다. 따라서 그들에게는 형이상의 '도'만이 아니라 형이하의 '기'도 탐구해야 할 대상이었고, 자연히 전문 과학기술 지식에 대한 탐구도 중요해졌다. 그리고 이러한 경향은 '도'와 '기'만을 두고서가 아니라 '이'理와 '기'氣, '이'와 '수'數 사이에서도 찾아볼 수 있어서, '기'에 비해 '이', '수'에 비해 '이'를 중요시하는 경향 한편에, '기'와 '이', '수'와 '이'가 분리 불가능하다는 점과 '이'가 '기' 속에 또는 '수' 속에 존재함을 강조하는 경향이 병존했다.[17]

(2) '군자불기'(君子不器)

『논어』에 나오는 '군자불기'君子不器(군자는 '도구'〔器〕가 아니다: 2.12)라는 말도 '도'와 '기'의 양분법과 연결 지어져서 유학자들이 과학기술 전문 지식과 그 전문가들에 대해 지니는 태도에 깊은 영향을 미쳤다. 공자孔子의 이야기로 알려진 이 말은 흔히 '군자' 君子가 되기를 추구하는 학자들은 '도', '이', '심'心, '성'性 등 고상하고 추상적인 관념과 이상을 추구해야 하며, 단순한 '도구'〔器〕에 지나지 않는 구체적·실용적 사물이나 문제들에 관심을 가져서는 안 된다는 식으로 해석되었다. 따라서 이 같은 생각을 지닌 학자들은 자연히 전문 과학기술 분야에서 활동을 하거나 그 지식을 공부하는 것이 군자로서 적절치 않은 일이라고 느꼈을 것이다. 결국 널리 알려진 '군자불기'라는 공자의 말은 유학자들로 하여금 단순한 '도구'〔器〕에 지나지 않는다고 생각한 것들을 소홀히 하도록 했으며, 그 같은 '단순한 도구들' 중에는 과학기술 전문 분야들이 포함되었다.

그러나 이 말이 유학자들의 과학기술에 대한 태도에 미친 영향도 그렇게 일방적이고 단순하지만은 않았다. "군자는 도구가 아니다"라는 말의 참뜻은 유학자들이 도구적 효용만 있는 좁은 범주에 갇히는 것을 경계하고 폭넓은 교양과 학문의 가치를 강조하는 데 있었는데, 그처럼 폭넓은 교양과 학문 속에는 우주와 자연 현상에 대한 탐구도 당연히 포함되었으며, 기술의 지식 — 직접 기술 활동에 종사하는 것까지는 아니라 하더라도 — 까지가 포함되어 있었던 것이다. 우선 천지天地, 만물萬物, 그리고 사람〔人〕으로 이루어진 자연 세계에 대한 사색과 지식은 단순한 '도구'〔器〕로 배척해야 할 것이 아니라 군자의 폭넓은 탐구와 수양의 일부였다. 그리고 위에서 본 것처럼 전통 시대 유학자들의 학문의 기본 자료였던 여러 경전의 주소註疏에서 긴 주해가 달려 있는 구절들 중 많은 수가 천문역법이나 율려律呂 등 전문 과학 지식과 관련된 내용들이었다. 따라서 '군자불기'라는 슬로건이 전통 시대 동양 지식인들의 관심에서 과학과 기술을 제외시킨 것은 아니었다. 그것은 단지 어느 한 분야에만 빠져 폭 좁은 전문가가 되는 데 대한 비판이었으며, 과학이나 기술 분야만이 아니라 분야를 막론하고 어느 한 분야만의 전문 기능인이 되는 것을 배격하고 폭넓은 광범위한 교양을 가질 것을 요구한 것이었다.*

(3) '소도'(小道)

『논어』에 나오는 자하子夏의 이야기, "'소도'小道라고 해도 그 속에 반드시 '볼'〔觀〕 만한 것이 있다. 그러나 너무 멀리 가면 그에 빠질까 두려워서 군자는 그것을 '하지'〔爲〕 않는다"[18]라는 구절도 유학자들의 과학기술에 대한 태도에 영향을 미쳤다. '소도'에 "반드시 볼 만한 것이 있다"는 긍정적인 태도와 "군자는 그것을 하지 않는다"는 부정적인 태도가 함께 나오는 이 구절은 '소도'에 대해 뚜렷하게 양면적인 태도를 보이고 있으며, 전문 과학 분야들이 흔히 '소도'에 포함되었기에 '소도'에 대한 이 같은 양면적인 태도는 과학기술에 대한 태도에서의 양면성으로 이어지기도 했다. 그리고 그 같은 양면적인 성격은 '소도'라는 말 자체에 담겨 있다. 그것이 어디까지나 '도'道이고 따라서 유가의 학문에 포함될 잠재성을 지닌 것이지만, '소'小라는 글자는 그것이 부수적이고 덜 중요할 수밖에 없는 것임을 말해 주기 때문이다. 위의 구절에 대해 농사〔農〕, 원예〔圃〕, 의술, 점술〔卜〕, 기술〔工〕 등을 '소도'의 예로 제시하는 다음과 같은 주희의 설명에서도 그 같은 양면성을 찾아볼 수 있다.

---

* 이와 관련해서 서양에서의 상황과 흥미로운 대비를 볼 수 있다. 앞 장에서 보았듯이 서양에서는 과학기술 지식의 전문화가 그렇게 전문화된 과학기술 지식의 지위 상승을 낳았던 데 반해, 동아시아에서는 과학기술 지식의 전문화가 오히려 그렇게 전문화된 분야의 지위 저하로 이어졌다는 점이다.

'소도'는 이단異端이 아니다. 소도 또한 도리이며 단지 작은 것일 뿐이다. 농사, 원예, 의술, 점술, 기술〔百工〕 같은 것들도 도리를 지니고 있다. 만일 계속 위쪽에서만 도리를 찾는다면 통하지 않을 것이다.[19]

물론 이 구절에서 드러나는 주회의 주된 논지는 '소도'의 예로 든 이들 전문 분야들도 공부해야 한다는 데 있었지만, 그럼에도 불구하고 그에게 이 분야들은 중요성이 '작은' ── 비록 이단은 아니었지만 ── 분야들이었다는 생각 또한 이 구절에서 분명히 읽을 수 있다.

위의 몇 가지 요소의 영향으로 전문 과학 지식 분야들은 한편으로는 유학자들의 관심을 끌었지만 다른 한편으로는 그들에 의해 중요하게 여겨지지 않았으며, 그들 학문의 본령本領으로부터 분리되는 경우도 많았고, 때로는 그처럼 낮은 중요성 때문에 차별을 받기도 했다. 그러나 이렇게 유가의 본령으로부터 분리, 차별된 분야는 과학기술 분야들만이 아니라 법률, 재정, 관제, 의식儀式 등 그 외의 많은 전문 지식 분야들도 포함되었으며, 그런 분야들 중에는 오늘날 '인문학'이나 '문과'에 속할 분야들도 들어 있었음을, 그리고 반면에 자연철학의 많은 부분들, 예를 들어 우주론, 인체, 천체에 대한 논의들은 오히려 그 속에 포함되어 있었음도 주목해야 한다. 동양 전통 시대의 유학자들에게서 과학과 인문학, '문과'와 '이과'의 구분 같은 것은 찾아볼 수 없었다.

4

과학 지식에 대한 유학자들의 태도: 주희의 경우

　이 같은 상황에서 과학기술에 대한 동아시아 전통 시대 유학자들의 태도는 아주 복잡한 양상을 띠었다. 이 장의 남은 부분에서는 그 같은 복잡한 모습을 더 구체적으로 살펴볼 것이다. 우선 이 절에서는 주희의 예를 볼 것인데, 그를 선택한 것은 그가 그 이후의 유학자들에게, 특히 조선의 유학자들에게 압도적인 영향을 미쳤을 뿐만이 아니라, 유학자들이 과학기술에 대해 지니는 복잡한 양면적 태도를 아주 잘 보여주기 때문이다.

　주희는 천문역법, 율려, 지리, 의술醫術 등 자연 현상과 관련된 여러 전문 지식 분야에 깊은 흥미를 지니고 있었으며, 그중 몇몇 분야에서는 그의 지식과 이해가 상당히 높은 수준에 이르러 있었다. 특히 그의 생애 말기에 이르러 이들 전문 분야에 대한 그의 관심은 매우 깊어졌으며, 천문역법 및 그 외의 다른 과학적 주제들에 대한 그의 논의의 많은 부분이 그와 그의 문인門人들이 정치적으로 핍박을 당하던 시기인 1190년대 후반에 이루어졌다. 그는 죽기 전 2, 3년 동안에 내단內丹의 경전인 『참동계』參同契의 내용을 이해하는 데 많은 노력을 기울였으며, 『참동계고이』參同契考異라는 주해서를 쓰기도 했다.[20]

주희가 가장 자주 논의한 전문 지식 분야는 역법과 율려 및 지리였고, 이들 분야에서의 그의 이해는 때로는 상당히 높은 전문적인 수준에 달했다. 그에게는 이 분야들은 분명히 유가 전통의 한 부분이었다. 그러나 이들 분야들과 연관된 활동들, 즉 점성술[天文], 음악 및 풍수술에 대한 그의 태도는 각각 달랐다. 그는 음악에 대해서는 자주 논의했지만, 점성술과 풍수술에 대해서는 별로 이야기하지 않았다. 그에게 유가의 '예'禮의 일부였던 음악은 당연히 중요했던 데 반해, 다른 두 가지는 그로서는 유가 학문체계 속에 완전히 받아들일 수 없었기 때문이었던 것으로 보인다.

주희가 자주 논의했던 또 한 가지 분야는 이른바 '상수학'象數學이었다. 간단한 정수整數들과 주로 『주역』의 괘卦들이 사용된 수비학數秘學(numerology)적 내용의 논의들로 이루어진 이 분야는 근본적으로 『주역』과 그 주해들에 바탕하고 있었으며, 따라서 주희는 이 분야를 '역학'易學이라고 부르기도 했다. 물론 상수학이 '도가'道家적이라고 부를 수 있는 측면들을 포함해서 한대漢代 이후의 다양한 영향들을 받아들이기는 했지만, 그럼에도 불구하고 주희는 근본적으로 『주역』에 바탕한 이 분야가 유가의 학자가 충분히 관심을 기울일 만한 분야라고 생각했다. 이 상수학 분야 또한 점술[占, 卜]과 연단술[丹] 같은 분야에 응용되었는데, 주희는 이 두 분야 어느 쪽에 대해서도 논의하는 것을 피하지 않았다. 그는 특히 점술의 경우에는 그 여러 측면에 대해 다량의 저술을 남겼고, 실제로 그것을 행하기도 했다. 그 외에 점술이나 연단술과 연결된 다른 여러 술법術法들이 있었고 그 술법의 전문가들은 '도사'道士라고 불렸는데, '양생'養生이라고 불리기도 한 내단 분야를 제외하고는 이 술법들에 대해 주희는 별로 이야기하지 않았으며, 아마도 그것들에 대한 그의 평가도 낮았던 것으로 보인다.

의술[醫]은 위의 네 분야 —— 역법, 율려, 지리, 상수학 —— 만큼 주희의 관심을 끌지는 못했다. 위에서 본 '소도' 小道를 이야기하는 『논어』의 구절에 대한 설명에서 주희는 의술을 농사, 원예, 점술, 기술 등과 함께 '소도'의 예로 들었지만, 그 예들 중 앞의 네 가지는 포함시키지 않았다. 주희의 생각 속에서 의술은 역법, 율려, 지리, 상수학 정도의 학문적 지위를 지니지 못했던 것이다. 실제로 그는 '의가'醫家를 도가, 불가佛家, 점술가占術家, 공장工匠, '양생가'養生家 등과 같은 부류와 함께 이야기하기도 했다. 따라서 주희가 여러 약물과 처방을 자주 언급하면서도 의학 지식의 전문 내용에 대해서는 거의 이야기하지 않은 것은 놀라운 일이 아니다. 또한 그는 의술과 관련된 분야인 '본초'本草에 대해서도 많이 이야기하지 않았다. 비록 그의 문집과 어록에 여러 식물과 동물 종種들에 관한 기술記述이 많이 포함되기는 했지만 그것들은 대부분 『시경』과 『초사』楚辭에 대한 그의 주해에 담겨 있었고, 본초나 의약과 관련된 경우는 드물었다.

그 외의 전문 분야들 — 수학[算], 농사, 기술 등 — 에 대해서 주희의 관심은 그렇게 크지 않았다. 그러나 그는 이들 분야들을 완전히 무시할 수는 없었는데, 지방 관리로서의 그의 공적 임무를 수행하는 데 그 분야들의 지식이 관련된 문제들에 접하게 되었기 때문이다. 특히 농사는 주희가 지방관으로 재직하는 동안 때로 상당한 관심을 기울였던 주제였다. 특히 주희가 쓴 몇 편의 '권농문' 勸農文은 그가 당시의 농사에 대해 어느 정도의 지식을 지니고 있었음을 보여주는데, "내가 '전원' 田園에 오랫동안 있었기 때문에 농사에 대해 잘 안다"[21]는 말로 시작하는 그의 권농문에 담긴 구체적인 항목들은 농사의 중요한 작업과 주제들 — 밭갈기, 거름주기, 모내기, 제초, 돌려짓기, 관개 灌漑, 비단과 삼[麻] 등 — 에 관한 핵심 내용들을 포함했다. 그렇지만 그가 전문적인 농업 지식에 통달했다는 증거는 없다. 이 같은 종류의 글들을 제외하면 그가 농업과 관련된 주제들을 자세히 논의한 적이 없었기 때문이다.

한편 이 분야들 외에 주희는 의식 儀式, 관제 官制 및 군제 軍制, 운송, 서예, 회화 繪畵, 법률, 행형 行刑, 세제 稅制, 재정 등과 같은 전문적인 주제들에 대해서도 쓰고 이야기했다. 주희에게는, 『주자어류』朱子語類와 『주문공문집』朱文公文集에서 자주 논의되는 이 분야들이 전문화된 실용적 지식 분야들이었고 그 자체의 전문가들을 지녔다는 점에서 오늘날 우리가 과학이라고 부르는 위에서 언급한 분야들과 다를 것이 없었다. 그리고 이 분야들이 자연 세계의 사물과 관련되어 있지 않아 우리는 이것들을 과학기술 관련 분야들과 구분하지만, 이 같은 구분은 오늘날 우리들의 구분이고 주희 자신의 구분은 아니었음을 유념해야만 한다. 끝으로, 그가 어린아이들의 교육, 즉 '소학'小學에 필수적이라고 생각했던 여섯 가지 기초 기예(六藝) ─ 예절(禮), 음악(樂), 활쏘기(射), 수레 다루기(御), 글씨 쓰기(書), 계산(數) ─ 등도 비슷한 성격의 분야들이었다.22

  물론 주희는 전문 분야들을 공부하고 이해해야 할 필요성을 강조하면서도 한편으로는 그 분야들보다 더 중요한 주제들이 있다는 자신의 생각을 감추지 않았다. 사실 그는 작은 것들에 대해 다루기 전에 먼저 '근본'(本)을 그리고 '큰 것'(大) ─ 예를 들어 윤리적 · 철학적 문제들 ─ 을 이해해야 한다고 되풀이 이야기했다.23

> 만일 이 같은 근본을 먼저 이해하지 않고 다만 [구체적] 일들에 나아가 그것들을 이해하고자 한다면, 비록 많은 진귀한 일들을 이해할지라도 많은 혼란과 어지러움을 첨가할 뿐이고 많은 교만과 인색을 첨가할 뿐이다.24

따라서 '역상학'曆象學이 격물의 작업에 포함되어야 한다고 이야기한 후, 주희는 다음과 같이 덧붙였다.

> 그러나 또한 모름지기 큰 것이 먼저 세워져야 한다. 그런 후에 그것들(즉 역상학)로 옮기면 또한 이해하기 어려운 지경에 이르지 않고 통하지 않는 것도 없을 것이다.25

주희가 여러 전문 분야를 공부하고 다양한 수준의 지식을 지녔음에도 그의 이해가 결코 전문가들의 수준에 이르지는 못한 것은 바로 이같은 이유 때문이었을 것이다. 그는 이러한 분야들의 모든 세부 내용들을 완전히 이해하려고 애쓸 필요는 없다는 점을 인정했다. 예를 들어 전문 분야들을 이해할 필요성에 대한 앞에서 인용했던 언급들에 뒤이어 그는 "비록 상세하고 정밀하게 얻을 수는 없을지라도 일반적인 개요는 알아야 한다"고 덧붙였다.*26 따라서 주희는 대체로 전문가들을 높이 평가하지도 않았다. 그의 생각으로는 전문가들은 그 자신이 통달하지 못한 전문 영역들에서의 전문 기능인에 불과했다. 그는 때로 자신이 하려고만 했다면 그 전문 분야들에 통달할 수 있었으리라고 확신하는 것으로 보였다. 그리고 전문가들에 대한 주희의 그처럼 낮은 평가는 또한 당대 전문가들에 대한 그의 복고주의적 비판 ── 그들의 이해가 옛 성인들의 황금시대에 존재했던 높은 수준에 도달하지 못했다는 ── 에도 반영되어 있었다.27

그러나, 이 같은 한계가 있기는 했지만, 주희에게 세상의 여러 현상과 물체, 그리고 그것들의 작용에 대해 구체적으로 이해하는 것은 중요한 일이었고, 그런 일들 역시 주희의 호기심을 자극했다. 위에서 이야기한 과학적 주제들이 바로 그 같은 이해를 추구하는 것이었다. 또

---

* 실제로 이 같은 분야들에 대한 충분한 지식을 지닌 사람들은 드물었다. 천문, 지리, 음악, 율려 같은 주제들을 과거 과목으로 포함시켜야 한다는 주희의 제안에 대해 어느 제자는 "(자격이 있는) 시험관이 없을지 모른다"(未有考官)고 걱정하기까지 했다. 『朱子語類』, 109,8b.

한 많은 다른 학자들이 그들에게 실제로 중요했던 주제들 —— 도덕, 사회 문제들 —— 에 주로 관심을 쏟고 있었고 위의 과학적 주제들에는 별로 관심이 없었으며 주회 역시 과학적 주제들보다는 도덕적·사회적 문제들에 대해 논의하는 일이 훨씬 더 잦았지만, 과학적 주제들이 상당 정도 그의 관심을 끌었던 것은 사실이다. 그리고 중요한 것은 이런 전문 과학, 기술의 지식이 반드시 포함되고 학자들에 의해 탐구되어야 한다고 그가 생각하고 주장했다는 점이다.

5
유학자들과 과학 지식

　주희의 학문과 사상 체계가 국가가 인정하고 학자들이 받아들이는 정통正統 체계가 되면서 이 같은 그의 태도는 동아시아 유학자들 사이에서 큰 영향력을 발휘하게 되었다. 주희가 이처럼 그의 학문체계 속에 과학적 주제들을 포함시킨 것이 대부분 주희의 추종자였던 후대의 유학자들로 하여금 과학적·기술적 주제들에 대한 관심을 유지하도록 영향을 미쳤기 때문이다. 주희는 과학적 주제들을 자신의 학문체계 속에 포함시킴으로써 유가의 학문이 더 폭넓어지고 과학적이게 하는 데 기여한 것이다. 사실 17, 18세기 중국과 조선의 수많은 유학자들이 서양으로부터 전래해 온 과학적 지식을 큰 저항감 없이 공부하고 받아들여서 자신들의 체계 속에 포함시킬 수 있었던 데에서도 주희의 그 같은 영향을 볼 수 있다.[28]

물론 후대의 유학자들에게서는 주희에게서 본 것 같은 광범위한 관심이 축소된 것은 사실이다. 그리고 역설적으로, 주희의 학문이 지녔던 폭넓음이 주희 이후 학자들의 관심이 좁혀지는 데 한 요인으로 작용했을 수도 있다. 그의 후계자들은 자연 세계에 대해 그들이 알고자 하는 모든 것이 자신들의 스승 주희의 글과 어록語錄 속에 이미 담겨 있다고 생각했을 수도 있었던 것이다. 마치 일단 주희가 모든 것을 포함한 지식체계를 완성해 놓은 후에는 자연 세계에 관한 지식을 포함해서 다른 모든 것이 주희가 남긴 문헌 속에 들어 있기 때문에 그 이후의 사람들은 그들 자신의 주된 관심사인 도덕과 자기 수양 이외의 문제들에 대해서는 걱정할 필요를 느끼지 못하기라도 한 듯했다.*29 그러나 과학적 지식을 전체 학문체계의 일부로 포함해야 한다는 근본적인 입장은 유학자들 사이에 지속되었으며, 과학을 인문적 학문과 분리시킨다거나 그로부터 배제시킨다는 생각은 없었다. 유학자들은 자연 현상이나 과학적 지식을 추구하는 것이 천리天理를 향한 추구의 빼놓을 수 없는 일부라는 믿음을 견지했다. 또한 동아시아 전통 사회에 과학 분야나 기술 분야의 전문 기능인들이 따로 있었던 것도 사실이지만, 그 같은 전문 기능인들이 있었다고 해서 일반 학자들이 자연 현

---

* 이런 경향은 18세기 조선의 주희 추종자들에게서 특히 잘 드러난다. 그들은 서양으로부터 유입된 자연 지식이나 그에 대한 논란에 별 관심이 없었으며, 오히려 주희의 어록과 저술들로부터 주희의 자연 지식을 재구성해서 이른바 '주자정론'(朱子定論)을 확정하는 일에 몰두했다. 구만옥, 『朝鮮後期 科學思想史 研究 I : 朱子學的 宇宙論의 變動』(혜안, 2004), 280~288쪽.

상을 공부나 탐구의 대상에서 제외시키지는 않았다.

이렇듯 동아시아 전통 유학자들이 자연 현상이나 과학 지식을 자신들의 관심으로부터 제외시키지 않았다는 사실은 중요한 의미를 지닌다. 그것이 유학자들로부터 그것들에 대한 깊은 관심과 수준 높은 탐구가 나올 가능성을 열어 두었기 때문이다. 자연 현상과 과학기술을 자신들이 탐구할 당연한 일부분에 포함시킬 수 있다고 생각했기에, 일반 유학자들은 자연 현상에 대해 탐구하고 전문 과학 지식을 갖는 것이 무슨 대단히 특이한 일이라고 생각지 않았던 것이다.* 또한 유학자들은 실제로 관료이거나 잠재적인 관료였으며, 위에서 본 것처럼 관료로서의 업무를 위해서도 농업, 군사, 측량, 건축, 의료, 세제稅制, 재정 등에 대한 관심과 지식이 필요했다. 따라서 흔히 생각하듯이 경전經典 공부를 핵심으로 하는 유가의 학습 과정과 학문 풍토가 전문 과학기술 분야들의 발전에 넘어설 수 없는 장애물이 된 적은 없었다. 사실 유가의 학문 풍토 속에서 지극히 정밀하고 전문적인 청대淸代(1644~1912)의 고증학考證學 같은 것이 나올 수 있었다는 사실을 보면, 그것이 전문 과학기술 분야들을 얼마든지 포괄할 수 있었음을 알 수 있다.

실제로 동아시아의 역사를 통해서 전문 과학기술 지식에 관심을 지닌 유학자들은 많았다. 그리고 그들 중 일부는 몇몇 분야에서 동시대 과학기술 전문가들이 지닌 전문 지식의 수준에 도달해 있었으며, 그

---

* 이런 점에서 유학자들의 태도는 과학기술을 자신들과는 무관한 것으로 생각하고 그에 대해 무지한 것을 당연히 여기기까지 하는 오늘날의 일반 지식인들의 태도와 크게 대조적이다.

분야들에 대한 전문 저서를 남기기도 했다. 그 같은 유학자들은 신유학新儒學의 발흥기인 송대宋代(960~1279)에서부터 찾아볼 수 있었다.[30] 위에서 본 『몽계필담』의 저자 심괄과 『통지』通志의 저자인 정초鄭樵(1104~1162)가 광범위한 전문 과학기술 지식을 지녔던 송대 유학자들의 예인데, 그 외에도 다른 많은 송대 유학자들의 예를 들 수 있다. 송대의 몇몇 유학자는 수학 공부에 많은 노력을 기울여서 당대 최고 수준의 수학 전문서를 저술했다. 예를 들어 『수서구장』數書九章을 쓴 진구소秦九韶(1202~1261)와 『측원해경』測圓海鏡을 쓴 이야李冶(1192~1279)가 그 같은 유학자들이었는데, 이들은 자신들의 학문과 수학에 대한 흥미 있는 태도를 보여준다. 남송 말의 관리였던 진구소는 『수서구장』 서문序文에서 "수數와 도道는 두 가지 근본〔本〕〔에서 나온 것〕이 아니다" 數與道非二本라고 함으로써 수학의 지식이 '도'를 추구하는 것과 무관하지 않음을 말했고, 이야는 자신의 책 서문에서 유학자인 자신이 수학에 몰두함으로써 '완물상지' 玩物喪志했다는 비판을 받을 것을 걱정할 정도로 수학 공부에 관심을 쏟았다. 그리고 물론 전문 과학 분야들에 대한 지식 수준에서 이들과 비교할 수는 없었지만 주희 역시 스스로도 많은 전문 과학기술 분야들에 폭넓은 관심을 지녔으며, 다른 학자들에게 그 같은 전문 분야를 공부할 것을 권했다는 사실은 위에서 본 바 있다.

이 같은 일은 그 후로도 이어졌다. 명대明代(1368~1644)에도, 예수회 신부들에 의해 서양의 천문학이 전래되기 전에, 그리고 천문역법을 국가가 독점하고 사사로이 공부하는 것을 금禁했음에도 불구하고, 많은 유학자들이 천문역법에 관심을 지니고 공부했다.[31] 예를 들어 『명사』明史는 "역관이 아니면서 역曆을 이해한 사람들"非曆官而知曆者로 주재육朱載堉(1536~1611), 당순지唐順之(1507~1560) 등 여러 학자의 이름을 열거하고 그들이 모두 역에 대한 저술이 있었다고 기록했다.[32] 형운로 邢雲路(1549~?) 같은 학자는 "천문역법曆象授時之學은 진정으로 우리 유가의 본업本業이다"라고 이야기하기까지 했다.[33] 서양 과학기술을 받아들이는 데 앞장섰던 서광계徐光啓(1562~1633), 왕징王徵(1571~1644) 등도 서양 과학기술에 접하기 전에 이미 기계와 기술적인 문제들에 관심을 지니고 있었다.[34] 그들은 예수회 신부들이 전해 주는 서양 과학 기술 지식을 접하기 전에 이미 그 같은 지식을 받아들일 준비가 되어 있었던 것이다. 서광계는 중국 학자들에게 선교하는 데 과학 지식을 이용하라고 예수회 신부들에게 권하기도 했는데,[35] 이는 유학자들 사이에 과학 지식에 대한 잠재적 관심이 그만큼 널리 퍼져 있었다는 것을 그가 인식하고 있었음을 보여준다.

실제로 서양 과학 지식이 중국에 들어왔을 때 많은 중국 유학자들이 이를 받아들이는 데 별 문제를 느끼지 않았다는 사실이 이를 뒷받침해 준다. 서광계, 왕징과 같이 이미 기술적인 문제들에 관심을 가졌던 학자들만이 아니라 웅명우熊明遇(1579~1649), 방이지方以智(1611~1671), 유예游藝(1614?~?), 게훤揭暄(1625?~1705?) 등 유학자들이 격물 이론을 내세워 서양 과학 지식을 받아들이고 자연 세계와 천지 우주에 대한 논의에 열중했다.[36] 이후 시기에도 이 같은 경향을 보이는 유학자들을 계속 찾아볼 수 있었다. 정통 정주程朱학파의 학자들도 예외가 아니어서

강영江永(1681~1762)은 열렬한 서양 천문학 예찬론자였으며, 전대흔錢大昕(1728~1804)은 서양 수학과 천문학에 관한 전문 지식을 자신의 '격물치지'格物致知 지식체계 속에 포함시켰다.[37]

천문역법, 수학 등 과학 지식에 대한 유학자들의 관심이 커 가는 상황 속에서 이들 분야의 학문적 지위를 고양시키려는 시도도 나왔다. 그 같은 시도를 합리화해 주었던 것은 송대 소옹에서 시작해 주희도 받아들였던, '이'理와 '수'數가 하나라는 관념이었다. '수'에 대한 탐구가 '이'의 탐구가 될 수 있는 것이기 때문이었다. 서광계는 분명히 그 같은 생각을 받아들였고, 그에 바탕해서 수학이 유가 학문의 일부가 되어야 함을 주장했다.[38] 경전을 이해하기 위한 도구로서 천문역법의 중요성을 주장하고 수학을 유학의 일부로 자리매김했던 매문정梅文鼎(1633~1721)도 수數와 이理가 분리될 수 없음을 주장하면서 같은 생각을 분명히 보여주었다.[39] 특히 그가 주판을 사용해서 흔적이 없어지는 주산珠算보다 붓으로 써서 하는 필산筆算의 중요성을 강조한 데서도 단순한 기능이 아니라 학자들이 종사하는 '학'學으로서 수학의 지위를 높이려는 의도가 드러난다. 그 후에도 대진戴震(1723~1777)은 경전을 제대로 이해하기 위해 수학과 천문학 지식이 필요함을 역설했으며, 전대흔과 완원阮元(1764~1849) 등이 수학과 역법이 유학자가 공부해야 할 분야들이며 과거 시험에도 포함되어야 한다고 주장했다.[40] 매문정의 영향을 강하게 받은 조선의 황윤석黃胤錫(1729~1791)도 천문역산이 "격물치지의 한 갈래"格致之一端로 유학의 일부임을 주장했다.[41] 사실 역법은 명대의 과거 시험에 출제되었으며, 이 같은 일이 청대에 중단

되기는 했지만 그것은 역법이 중요하지 않다는 생각에서가 아니라 역법과 관련된 논쟁이 정치적인 불안을 조성할 것에 대한 두려움 때문이었다.[42] 실제로 왕난생王蘭生(1679~1737) 같은 사람은 탁월한 수학적 능력 때문에 강희제康熙帝(재위 1661~1722)로부터 '주인진사'疇人進士라는 칭호를 받기도 했다.[43]

유학자들만이 아니라 군왕들도 과학기술에 대해 관심을 지니는 경우가 있었으며, 군왕들의 그 같은 관심은 과학기술의 학문적 지위를 높이는 역할을 했고 자연히 신하들에게 영향을 미쳤다. 강희제는 수학과 천문학에 깊은 관심을 가졌고, 그 분야의 전문 지식을 담은 저술을 남기기도 했다. 강희제에게 영향을 받아 그의 신하들도 이들 분야를 공부했다. 예를 들어 그의 신뢰받는 신하였던 이광지李光地(1642~1718)는 북경에 체재하던 매문정을 자신의 집에 초치招致해서 제자들과 함께 그로부터 수학을 배웠다.[44] 강희제 스스로도 자신이 예수회 신부들에게서 배운 서양의 기하학과 대수학을 매곡성梅瑴成(1681~1763) 같은 젊은 학자들에게 가르치기도 했다.[45]

조선의 정조正祖(재위 1776~1800)도 천문역법, 지리, 기구 및 기계 등에 깊은 관심을 지니고 있었다. 특히 그는 당시의 "문인, 학사들이 스스로 구경九經을 연마하고 삼재三才에 통했다고 하면서도 일단 역상曆象에 접하면 월越나라의 관冠을 보듯이 〔신기해 하기만〕 한다"고 비판하면서 천문역법을 장려하는 시책을 폈다.[46] 이에 따라 정조 시대에는 천문, 역상, 농정, 수리水利, 측량 등에 대한 기구와 실험 방법 등에 관해 이야기하는 것이 널리 유행했다. 정조 시기의 학자들 중 과학 지식에 능통했던 사람들로는 정부의 천문역산 활동을 주도했던 서명응徐命膺(1716~1787), 서호수徐浩修(1736~1799) 부자를 비롯해 많은 사람이 있었는데, 이가환李家煥(1742~1801)의 경우가 특히 두드러진다. 이가환은 스스로도 천문역산에 능했을 뿐만 아니라 정조의 시책에 부응해서 천문역산 전문가 양성의 필요성을 역설했고, 전문가들만이 아니라 학자들로 하여금 직접 천문역산 활동에 종사하게 해야 한다고 주장하기도 했다.[47] 이가환은 또한 수학에 능했으며, 자신의 수학 지식에 대한 깊은 자신감을 지녀서 "내가 죽으면 동국(조선)의 기하학은 종자가 끊어질 것이다"라고 이야기하기도 했다.[48]

물론 그렇다고 해서 전문 과학기술 지식이 유학자들의 주된 관심사가 되었거나 가장 중요한 관심 대상이 된 것은 아니었다. 대부분의 경우 그들이 과학기술에 대해 지니는 관심은 어디까지나 부차적이었던 것이다. 우선 많은 경우 과학기술 지식은 유학자들의 본격적인 지적 추구의 대상이 되었기보다는 주로 그 같은 지식이 지닌 실용성 때문에 추구되었다. 사실 실제적 효용의 추구는 17, 18세기 서양 과학 지식의 수용에 있어서도 주된 요인이었다. 서광계나 왕징처럼 서양 과학기술 지식을 도입하는 데 적극적이었던 사람들만이 아니라 안원顏元(1635~1704)이나 이공李塨(1659~1733) 같은 유학자도 수학과 같은 실용적인 주제들의 교육이 필요함을 주장했다.[49] 18세기 들어 서양에 대한 반감이 커진 후에도 청 황실이 예수회 신부들을 계속 우대한 것은 역법, 무기 제작, 측량 등의 분야에서 예수회 신부들이 지닌 과학기술 지식의 실용적 유용성 때문이었다.[50] 이 같은 실용성의 추구는 조선 유학자들 사이에서도 마찬가지였다. 예를 들어 위에서 본 이가환은 역법이 농사만이 아니라 의료에도 중요하며, 수학의 원리가 음악, 기술, 농업, 군사 등에 응용된다고 주장했다.[51]

과학기술에 대한 관심에는 실용성 추구 이외에 또 다른 부차적인 요인도 있었다. 청대 황실에서 과학기술을 진흥한 데에는 당시 인기가 높던 시계, 유리, 도자기, 정원庭園 건축 등과 같이 진기한 것과 호화, 사치스러운 것들을 통해 호기심을 충족하고 군왕의 위엄과 명예를 높이려는 의도도 크게 작용했다.[52] 특히 청 황실의 시계 만드는 기술은 급격히 발전해서 상당히 높은 수준에 이르렀으며, 건륭제乾隆帝(재위 1735~1795)는 1793년 영국의 매카트니Macartney 사절단이 선물한 시계들에 별로 놀라워하지 않을 정도였다.[53]

강희제가 서양 과학 지식에 깊은 관심을 지니고 열심히 공부하게 된 데에도 실용성 이외의 또 다른 이유가 있었다. 만주족 황제로서 자신이 통치해야 하는 한족漢族 신하들을 감복感服시키는 데에 자신의 수준 높은 서양 과학 지식을 이용하려고 했던 것이다. 한족 엘리트와의 경쟁에서 우위를 점하기에는 유학의 전통적인 영역들보다 새로 들어오는 서양 과학기술 쪽이 더 쉬웠을 것은 당연하다. 그는 자주 자신의 서양 수학 지식을 자랑했으며, 심지어는 자신이 매문정에게 수학을 가르쳤다고 이야기하기까지 했다.[54] 지적 우월성을 과시하고 인정받고자 하는 것이 과학기술에 대한 또 다른 동인動因이었던 것이다.

동아시아 전통 유학자들의 과학기술 전문 지식에 대한 관심이 이렇듯 부차적이었기에 그들의 과학기술 지식에는 한계가 있을 수밖에 없었다. 위에서 주희의 경우를 보았지만 대체로 유학자들은 과학기술 전문 지식을 공부하는 것을 최우선으로 하거나 전념하지 않았는데, 그러면서도 그들은 자신들이 노력하기만 하면 그 같은 지식에 통달할 수 있을 것이라고 생각했다. 전문 과학기술 지식이 그들에게 충분한 지적 도전이 되지 못했던 것이다. 예를 들어 수학에 능통했던 조선의 홍양호洪良浩(1724~1802)도 천문역산이 "우리 유학의 '나머지 일'〔緖餘〕" 이라고 이야기했다.[55]

이에 따라 대부분의 경우 유학자들이 도달한 과학기술 지식은 최고 수준이 아니었다. 또한 전문 과학기술 지식에 대한 관심이 모든 유학 자들 사이에 널리 퍼져 있는 것도 아니었으며, 일정 수준의 과학기술 지식을 지닌 사람이 그렇게 흔한 것도 아니었다. 자신이 죽으면 조선 의 기하학은 사라질 것이라는 이가환의 이야기도 그 같은 상황을 말 해 준다. 학자들이 접할 수 있는 전문 지식의 형태에도 한계가 있었다. 과학기술 전문 서적들은 대부분 학자들이 집필했으며, 전문 분야 종 사자들의 작업을 위한 것이기보다는 학자들의 지적 관심을 위한 것들 이었다.

그러나 중요했던 것은 유학자들에게 과학의 전문 지식이 지닌 이 같은 부차성에도 불구하고 과학 지식을 전체 학문체계의 일부로 포함 해야 한다는 근본적인 입장은 그들 사이에서 지속되었다는 점이다. 유학자들에게 과학을 자신들의 학문체계에서 분리시킨다거나 배제시 킨다는 생각은 없었다. 그들에게 자연 현상들에 대한 탐구도 그것들 의 이理를 이해함으로써 천리에 이르는 수단이었으며, 천리에 이르기 위해서는 자연 현상들에 대한 '이'理도 이해해야만 했던 것이다.

인문학과 과학

6

맺는 말

앞 절들에서 보았듯이 동양 전통 학문체계에서는 '과학'도 '인문학'도 따로 존재하지 않았다. 과학 분야들을 비롯해서 모든 분야가 유학자들의 학문체계 속에 포함되어 있었던 것이다. 물론 전문 분야에 실제로 종사하는 전문가들이 따로 있기는 했지만, 이들 전문가들은 주로 자신들의 전문 분야의 실제 전문적 문제들에만 관심을 가졌다. 결국 이들 분야의 지식에 더 근본적이고 폭넓은 관심을 지녔던 사람들은 이들 전문가들이 아니라 학자들 ── 관리들 ── 이었다. 전문 과학기술 분야들의 전문가들의 관심이 실용에만 빠져 있었던 데 비해, '군자불기'君子不器를 이상理想으로 했던 학자들이 그 분야들의 더 넓고 깊은 가치를 본 것이며, 그 같은 학자들의 폭넓은 지적 관심이 자신들의 학문체계로부터 과학과 기술의 전문 분야들을 배제하지 않고 포함시켰던 것이다. 실제로 동양 전통 시대의 농업, 의학, 기술 분야의 수많은 책의 저자는 주로 학자들이었으며, 그들이 염두에 둔 독자도 지식인들이었다.[56]

바로 이것이 동아시아 전통 학문의 폭넓은 '인문 정신'이라고 할 수 있다. 전통 시대 동아시아의 유학자들이 지녔던 이 같은 폭넓은 '인문 정신'이 과학과 기술 전문 분야들을 배제하지 않고 포함시켰던 것이다. 반면에 과학과 기술 분야의 전문 기능인들은 이 같은 '인문 정신'과는 상반되는 태도를 보였다. 그들은 자기들 분야의 전문 지식과 기술에만 관심을 지니고 자신들의 분야가 요구하는 실제 작업을 수행하고 문제들을 해결하는 일에만 관심을 가졌을 뿐, 그런 작업의 바탕이 되는 지식이나 이론적 기초, 그리고 자신들이 하는 작업의 의미 같은 것들에는 관심을 보이지 않았다. 주희 같은 유학자들이 천문역법이나 율려 같은 분야를 매우 깊이 공부해서 많은 지식을 갖고 있었으면서도 그 분야의 전문가들에 대해서는 그 전문성을 완전히 받아들이지 않았던 것은 전문가들이 지니는 바로 그 같은 속성 때문이었던 것으로 보인다. 비록 자신들이 전문 분야들에 정통하지 못했고, 자신들의 전문 지식이 그 분야들의 전문가들 수준에는 이르지 못했지만, 유학자들의 생각으로는 그 같은 속성을 지닌 전문가들은 전문 기능인에 불과했던 것이다.

불행히도, 나는 많은 오늘날의 인문학자들에게서 이 같은 폭 좁은 전문 기능인적 경향을 본다. 사실 인문학은 중세 유럽 학문을 짓누르던 아리스토텔레스주의 스콜라 학풍Scholasticism에 반기를 든 르네상스 인문주의에서 그 기원을 찾을 수 있는데, 르네상스 인문주의에서 찾아볼 수 있었던 이 같은 개방성이나 역동성을 오늘날의 인문학은 상실했다. 제한된 범주에 안주한 채 고착된 주제들에 대해 고착된 방식으로 집중하는 인문학의 기능인들이 우리 인문학을 지배하고 있는 오늘날의 인문학은 바로 그 스콜라 학풍으로 되돌아가 버렸고, 거의 '신 스콜라 학풍'neo-Scholasticism이라고 부를 수 있을 정도가 되어 버렸다.

특히 자신들을 둘러싼 세상은 온통 과학기술의 세상이 되어 가고 있는데, 현대 사회와 현대 문화의 가장 큰 특징인 과학기술은 무시한 채 오히려 과학기술이 인간을 황폐화시킨다고 주장하는 이들이 오히려 인문학을 황폐화시키고 있는 것은 아닐까? 과학기술에 대한 인문적 탐구, 반성, 탐색을 통해 그렇게 황폐화되어 가고 있는 우리 인문학을 구제해야 하는 것은 아닐까? 그리고 이것이 우리 자신이 이미 잃어버린 동아시아 유가 전통의 폭넓은 '인문 정신'으로부터 우리가 배워야 할 것이 아닐까?

끝으로 한 가지 덧붙일 이야기가 있다. 동양 전통 사상과 현대 과학을 연결시키려는 요즈음의 많은 시도에서 나는 당혹감을 느낀다. 물론 동양 전통 사상과 현대 과학의 몇 가지 요소 사이에 유사성이 있는 것은 사실이지만, 그 같은 유사성은 대부분 피상적인 수준에 머물며, 실제로 동양 전통 사상과 현대 과학의 내용을 의미 있게 연결할 수 있는 차원의 것은 아니다. 또한 동양 전통 사상이 인간과 자연의 조화調和를 중시하고 인간이 자연의 일부로서 자연과 함께 살아가는 '조화의 자연관'을 지니고 있었으며, 그런 면에서 그것을 환경 오염, 자원 고갈, 핵 위협 등의 문제들을 야기해 사람들을 괴롭히는 현대 과학기술에 대한 대안으로 생각하는 데 전혀 일리가 없는 것은 아니다. 그러나 이 또한 위의 문제들 자체가 갖는 본질에 대한 이해, 특히 그 같은 문제들이 생겨 온 실제 역사적 과정에 대한 이해의 결여를 반영한다. 이 문제들은 서양의 과학이 현대에 이르기까지 변화, 발전해 오면서 거치게 된 '전문화', '제도화', '거대화', '실용화' 과정을 통해 어쩔 수 없이 생겨난 문제들이며, 이 역사적 과정은 그중 일부를 취사선택할 수 있는 것이 아니고 가역可逆적인 것은 더욱 아니어서, 그 같은 문제들을 원하지 않는다고 그것들이 없었던 과거의 과학으로 되돌아갈 수는 없다. 따라서 이 같은 과정을 겪지 않은 동양 전통 자연관의 요소들을 통해 그 과정의 산물인 현대 과학기술의 문제들을 해결하겠다는 것은 너무나 소박한 믿음이다. 결국 위의 문제들에 대한 구체적인 해결책을 얻어 내는 것은 관련된 문제들에 대한 본격적인 과학적 탐구가 있은 후에야 가능할 것이다.[57]

1 이들 분야들에 대한 간단한 논의는 김영식, 「중국의 전통 과학과 자연관에 대한 올바른 이해」, 『한국사 시민강좌』 제16집(일조각, 1995), 203~222쪽〔「중국 전통 과학과 자연관」이라는 제목으로 김영식, 『과학, 역사 그리고 과학사』(생각의나무, 2008), 87~114쪽에 실림〕, 4절을 볼 것.

2 "古之欲明明德於天下者, 先治其國. 欲治其國者, 先齊其家. 欲齊其家者, 先脩其身. 欲脩其身者, 先正其心. 欲正其心者, 先誠其意. 欲誠其意者, 先致其知. 致知在格物."

3 '격물'(格物) 개념에 대해서는 김영식, 『주희의 자연철학』(예문서원, 2005), 1장을 볼 것.

4 "天下之事, 皆學者所當知. 而其理之載於經者, 則各有所主而不能相通也. …… 舍其所難而就其所易, 僅窺其一而不及其餘, 卽於天下之事, 宜有不能盡通其理者矣."『朱文公文集』(四部備要本), 69.21b.

5 '박학'(博學)이라는 말은 『論語』, 12.5, 19.6; 『禮記』〔『禮記註疏』(臺北: 新文豊, 1977 影印本), 53.2a〕 등에 나온다

6 "大學之道, 必以格物致知爲先, 而於天下之理, 天下之書無不博學."『朱文公文集』, 60.16b.

7 『論語』, 14.37.

8 "依於仁, 游於藝"라는 말은 『論語』, 7.6에 나온다.

9 "藝亦不可不去理會. 如禮樂射御書數, 一件事理會不得, 此心便覺滯礙. 惟是一一去理會, 這道理脈絡方始一一流通, 無那箇滯礙."『朱子語類』(1270년 편찬, 1473년 재간행. 臺北 正中書局 1962년 引行), 34.9b. 여기서 주희는 '六藝'를 이야기하고 있다.

10 Needham, Joseph, *Science and Civilisation in China* (Cambridge: Cambridge University Press, 1954~), vol. 6: part I, 463쪽 이후.

11 "又如律曆刑法天文地理軍旅官職之類, 都要理會."『朱子語類』, 117.22b.

12 "如禮樂製圖天文地理兵謀刑法之屬, 亦皆當世所須而不可闕. 皆不可以不可習之." 『朱文公文集』, 69.21b.

13 "形而上者 指理而言, 形而下者 指事物而言.…… 事物可見而其理難知." 『朱子語類』, 75.20a. 또한 『朱子語類』, 6.11b, 59.26a, 78.29b를 볼 것.

14 "物易見, 心無形度. 物之輕重長短易度, 心之輕重長短難度. 物差了只是一事差, 心差了時萬事差." 『朱子語類』, 51.5a. 같은 구절의 앞 부분에서 주희는 같은 생각을 다음과 같이 표현했다. "사물의 차이는 해가 없지만 마음의 차이는 해가 있다"(物之差無害, 心之差有害).

15 "伊川謂雷自起處起. 何必推知其所起處." 『朱子語類』, 100.11a. 정이와 소옹 간의 대화는 『河南程氏遺書』권21상 『二程集』(北京: 中華書局, 1981), 270쪽에 실려 있다. "堯夫曰. 子以爲起於何處. 子曰. 起於起處."

16 이에 대한 더 자세한 논의는 김영식, 『주희의 자연철학』, 제12.5절을 볼 것.

17 장원목, 「조선 전기 성리학 전통에서의 리와 기」, 송영배·금장태 외, 『한국 유학과 리기철학』(예문서원, 2000), 117~124쪽.

18 "雖小道, 必有可觀者焉. 致遠恐泥, 是以君子不爲也." 『論語』, 19.4.

19 "小道不是異端, 小道亦是道理, 只是小. 如農圃醫卜百工之類, 卻有道理在. 只一向上面求道理, 便不通了." 『朱子語類』, 49.2a.

20 이 절의 내용에 대한 더 자세한 논의는 김영식, 『주희의 자연철학』, 11장을 볼 것.

21 "當職久處田間, 習知稼事." 『朱文公文集』, 99.6b.

22 『朱子語類』, 7.1a, 1b 등. '육예'(六藝)와 앞 장에서 살펴본 서양 중세의 '일곱 교양 과목'과의 비교가 흥미롭다.

23 주희는 『孟子』(6上 15)의 "먼저 큰 것을 세우면 작은 것을 빼앗을 수 없다"(先立乎其大者, 則其小者弗能奪也)는 구절을 이런 식으로 해석했다. 『朱子語類』, 64.5b, 84.3b, 116.13b 등.

24 "若不先去理會得這本領, 只要去就事上理會, 雖是理會得許多骨董, 只是添得許多雜亂, 只是添得許多騷客." 『朱子語類』, 84.5a.

25 "然亦須大者先立, 然後及之, 則亦不至難曉而無不通矣." 『朱文公文集』, 60.17a.

26 "雖未理會得詳密, 亦有箇大要處." 『朱子語類』, 117.22b.

27 유학의 일반적인 복고주의적 경향에 대해서는 William Theodore De Bary, "Some Common Tendencies in Neo-Confucianism", David S. Nivison and Arthur F. Wright (eds.), *Confucianism in Action* (Stanford: Stanford University Press, 1959), 25~49쪽을 볼 것.

28 Willard J. Peterson, "Fang I-chih: Western Learning and the 'Investigation of Things'", William Theodore De Bary (ed.), *The Unfolding of Neo-Confucianism* (New York: Columbia University Press, 1975), 369~411쪽; 번역본: 윌라드 J. 피터슨, 「방이지의 격물 사상과 서양 과학 지식」, 김영식 편, 『중국 전통문화와 과학』 (창비, 1986), 333~365쪽; 박권수, 「徐命膺의 易學的 天文觀」, 『한국과학사학회지』 20권(한국과학사학회, 1998), 57~101쪽; Benjamin A. Elman, *On Their Own Terms: Science in China, 1550-1900* (Cambridge: Harvard University Press, 2005) 등을 볼 것.

29 김영식, 『주희의 자연철학』, 32쪽.

30 樂愛國, 『宋代的儒學與科學』(北京: 中國科學技術出版社, 2007).

31 신민철, 「명대 천문 '사습(私習)'의 금지령과 천문서적의 출판: 그 이념과 실체」, 『한국과학사학회지』 29권(한국과학사학회, 2007), 231~260쪽.

32 『明史』(북경 중화서국 교점본), 권 31, 544쪽.

33 "曆象授時之學, 正吾儒之本業." 邢雲路, 『古今律曆考』 권65, "辯大統曆之失". 신민철, 「명대 천문 '사습(私習)'의 금지와 역법관(曆法觀)의 재정립」(서울대학교 석사학위 논문, 2007), 39쪽에서 재인용.

34 Jacques Gernet, "A Note on the Context of Xu Guangqi's Conversion", Catherine Jami, Peter Engelfriet and Gregory Blue (eds.), *Statecraft and Intellectual Renewal in Late Ming China: The Cross-Cultural Synthesis of Xu Guangqi (1562-1633)* (Leiden: Brill, 2001), 186~190쪽.

35 Nicolas Standaert, "Xu Guangqi's Conversion as a Multifaceted Process", Jami, Engelfriet and Blue, *Statecraft and Intellectual Renewal in Late Ming China*,

170~185쪽 중 184쪽.

36 윌라드 J. 피터슨, 「방이지의 격물 사상과 서양 과학 지식」; 張永堂, 『明末方氏學派研究初編: 明末理學與科學關係試論』(臺北: 文鏡文化事業有限公司, 1987).

37 Elman, *On Their Own Terms*, 256~257쪽.

38 Peter Engelfriet and Siu Man-keung, "Xu Guangqi's Attempts to Integrate Western and Chinese mathematics", Jami, Engelfriet, and Blue (eds.), *Statecraft and Intellectual Renewal in Late Ming China*, 279~310쪽 중 282쪽; Horng Wann-Sheng, "The Influence of Euclid's *Elements* on Xu Guangqi and His Successors", 같은 책, 380~397쪽 중 388쪽.

39 Peter M. Engelfriet, *Euclid in China: The Genesis of the First Chinese Translation of Euclid's Elements Books I–VI* (Leiden: Brill, 1998), 430쪽.

40 Horng, 위의 책, 389쪽; Pingyi Chu, "Remembering Our Grand Tradition: The Historical Memory of the Scientific Exchanges between China and Europe, 1600-1800", *History of Science* 41 (2003), 193~215쪽 중 197 · 200쪽 등.

41 전용훈, 「조선 후기 서양 천문학과 전통천문학의 갈등과 융화」(서울대학교 박사학위논문, 2004), 87쪽.

42 Elman, *On Their Own Terms*, 133 · 167~169쪽.

43 Elman, *On Their Own Terms*, 179쪽.

44 『梅文鼎年譜』(北京: 科學出版社, 1995), 561쪽; 韓琦, 「君主和布衣之間: 李光地在康熙時代的活動及其對科學的影響」, 『淸華學報』 新26권(1996), 421~445쪽 중 432쪽.

45 Catherine Jami, "Learning Mathematical Sciences during the Early and Mid-Ch'ing", Benjamin A. Elman and Alexander Woodside (eds.), *Education and Society in Late Imperial China, 1600-1900* (Berkeley: University of California Press, 1994), 223~256쪽 중 239쪽.

46 "近世之文人學士, 自謂硏九經通三才, 而一涉曆象, 茫然以爲越人之章甫者. 斯可以知所愧矣." 전용훈, 「조선 후기 서양 천문학과 전통천문학의 갈등과 융화」, 96쪽에서 재인용.

47 崔相天, 「李家煥과 西學」, 『韓國敎會史論文集』 II(한국교회사연구소, 1984), 41~67쪽.

48 "老夫死則東國幾何種子絶矣." 『黃嗣永帛書』, 46行; 崔相天, 「李家煥과 西學」, 55쪽에서 재인용.

49 Engelfriet and Siu, "Xu Guangqi's Attempts to Integrate Western and Chinese Mathematics", 281쪽; Li Yan and Du Shiran, *Chinese Mathematics: A Concise History*, trans. John N. Crossley and Anthony W.-C. Lun (Oxford: Clarendon Press, 1987), 194~201쪽.

50 Elman, *On Their Own Terms*, 5장.

51 崔相天, 「李家煥과 西學」, 56쪽.

52 Elman, *On Their Own Terms*, 206~216쪽.

53 Catherine Pagani, *Eastern Magnificence and European Ingenuity: Clocks of Late Imperial China* (Ann Arbor: University of Michigan Press, 2001), 74쪽.

54 Han Qi, "Knowledge and Power: Kangxi Emperor's Role in the Transmission of Western Learning", paper presented to the Kyujanggak International Workshop, held in Seoul, on 16~18 October 2007.

55 전용훈, 「조선 후기 서양 천문학과 전통천문학의 갈등과 융화」, 88쪽.

56 Charlotte Furth, "Introduction: Thinking with Cases", Charlotte Furth, Judith T. Zeitlin and Ping-chen Hsiung (eds.), *Thinking with Cases: Specialist Knowledge in Chinese Cultural History* (Honolulu: University of Hawaii Press, 2007), 1~27쪽.

57 이에 대한 보다 자세한 논의는 김영식, 「중국 전통 과학과 자연관」, 2절을 볼 것.

4장

'과학기술 시대'의 인문학

앞의 세 장에서 과학기술이 학문 일반으로부터, 특히 인문학으로부터 분리되어 있는 현
대 사회의 상황과 문제를 짚어 본 후 동서양의 학문 전통 속에서 과학기술이 지닌 위치
를 살펴보았는데, 그 과정에서 논의의 초점을 과학기술에 맞추었다. 이제 이 책의 마지
막 장인 이 장에서는 초점을 인문학으로 돌려 그동안 살펴본 내용을 되짚어 보고, '과학
기술의 시대'인 오늘날 인문학이 지향해야 할 바를 생각해 보기로 한다.

I

사회의 변화와 인문학

앞 장들에서 이야기했듯이 오늘날 우리가 '인문학'이라고 부르는 것의 근원은 '르네상스 인문주의'Renaissance Humanism라고 볼 수 있다. 그리고 르네상스 인문주의의 가장 주된 동인動因은 그때까지 신학, 논리학, 형이상학, 자연철학 위주로 내려오던 기독교 유럽 사회의 학문에 대한 반작용이었다. 르네상스 인문주의가 이 분야들을 제외시켰던 것은 아니지만, 이들 분야를 포함하면서도 더 인간적이고 세속적인 것을 추구하는 경향이 인문주의자들 사이에 나타났던 것이다. 이 같은 경향은 자연히 인문주의자들의 관심을 주로 역사, 문학 등으로 향하게 했다. 그리고 인문주의자들 사이에서는 기독교 신학과 결합된 중세의 학문적 틀에서 벗어나서 기독교 이전의 고대 그리스와 로마로부터 이런 것들을 찾으려는 경향이 유행했다. 이 같은 르네상스 인문주의가 당시 사회의 새로운 움직임에 부응하는 새로운 학문적 경향을 빚어내었던 것이다.

물론 이런 움직임이 오늘날과 같은 인문학의 모습을 완전히 만들어낸 것은 아니었다. 훨씬 뒤의 시기에 있었던 비슷한 성격의 새로운 학문적 움직임이 오늘날과 같은 인문학을 만드는 데 어느 정도 역할을 했다. 19세기 후반 이후에 있었던 중등 및 대학 교육의 개혁 움직임이 그것이다. 19세기 후반의 이 움직임 역시 그동안의 고전 학문, 고전 언어 위주의 교육 풍토에서 벗어나서 현대 언어 및 실용적 학문을 교육시킴으로써 당시 사회의 변화에 부응하려는 새로운 움직임이었다. 그리고 이 움직임이 자연과학, 사회과학에 더 큰 영향을 미쳤던 것은 사실이지만, 인문학 분야에도 변화를 가져와서 오늘날과 같은 인문학의 모습이 되도록 하는 데 기여했다.

이렇듯 오늘날 우리의 인문학은 근본적으로 서양에서 발전, 진화해 온 것이다. 그러나 우리나라가 동양 문화 전통에 속하기에 이 책의 3장에서는 동양에서의 상황도 살펴볼 필요가 있었다. 사실 동양 문화의 중심인 중국과 그 영향을 강력하게 받은 우리나라는 사회 문화 전체가 근본적으로 인간 중심적이었다. 동양 전통 사회에서는 어떻게 올바른 사람으로 살아 나가는가, 그리고 어떻게 그런 사람들이 사는 사회를 만드는가 하는 것이 개인과 사회의 가장 중요한 기본적인 문제였고, 지배층과 지식층 교육의 주된 목표였던 것이다. 따라서 동양 전통 사회의 주된 지식인이었던 유학자들에게는 자연히 구체적·전문적인 지식보다는 일반 교양적 소양 및 학문이 중요시되었다. 물론 우리 사회가 근대화하는 과정이 주로 서양의 것을 받아들이는, 우리 전통과는 단절된 과정이었고, 오늘날 우리의 학문은 근대 이전 전통 시기 우리 학문의 특성들로부터도 단절되었음은 사실이다. 그러나 완전한 단절이란 것은 불가능하기 때문에 동양 전통 학문의 특성이 오늘날 우리 학문에 얼마간 영향을 미쳤을 것이고, 그 결과 그 같은 영향이 우리 인문학에도 들어 있을 것이다.

주목할 만한 것은 오늘날의 인문학을 형성하는 데 중요했던 두 시기, 즉 르네상스 시기와 19세기 후반이 서양 사회에 큰 변화가 일어나고 있던 시기였고, 인문학이 그 같은 사회 변화에 부응해서 새로운 모습을 갖게 되었다는 점이다. 그리고 동양의 경우에도 새로운 지적·사상적 변화가 일어났던 시기는 예외 없이 사회적으로 큰 변화가 있던 시기였으며, '제자백가'諸子百家의 시기였던 춘추전국春秋戰國 시기와 신유학新儒學이 발흥한 송대宋代가 좋은 예라고 할 수 있다. 그런데 사실은 오늘날도 사회가 엄청난 변화를 겪고 있는 시기이고, 그런 면에서 인문학이 또 한번의 전환점을 맞고 있는 것으로 보인다. 그리고 사회가 겪고 있는 변화들에 부응해서 인문학도 새롭게 변화할 것이 요구되고 있다.

오늘날 사회의 변화는 여러 가지 특징을 보이지만, 가장 중요한 요소는 깊고 광범위하게 진행되는 과학화, 기술화, 정보화이다. 그에 따라 오늘날의 사회에서 과학, 기술, 정보 등과 관련된 수많은 새로운 사회·문화 현상들이 생겨나고, 그것들이 날로 중요해져 가고 있다. 그리고 이런 것들은 사회와 문화의 어느 한 부문이나 한 계층에만 국한된 것이 아니라 모든 사람들에게, 문화와 사회 전반에 크나큰 중요성을 지니게 되었다. 우선 들 수 있는 것이 기술이 사회에 편리함과 효율을 가져다주었다는 점이다. 예를 들어 정보 통신 기술, 각종 교통수단, 자동화 기계 등 외에도 식량 문제 해결, 난치병 치료 등에 과학기술의 기여가 컸음은 분명하다. 다른 한편으로 오늘날 과학기술은 사회에 많은 문제를 야기하고 있는데, 집단 살상 무기 개발을 비롯해서 환경 오염, 생태계 파괴, 에너지 고갈, 생명의 존엄성에 대한 도전, 국가 간·계층간 불평등 같은 문제들이 그 같은 예로 자주 거론된다. 그런데 과학기술은 과학기술이 야기한 이 같은 폐혜를 해결하는 데 기여하기도 한다. 환경 오염 제거·방지 기술이 환경 오염을 완화시키는 데 기여하고 있으며, 파괴된 자연 생태계를 복원하는 데도 과학기술의 지식과 방법이 이용되고 있다. 또한 과학기술은 여러 대체 에너지 개발을 통해 석유, 석탄 등 화석 에너지 고갈 문제에 대처하는 것을 돕고 있기도 하다. 이 같은 과학기술의 중요성에 따라 현대의 사회와 문화에서 과학기술의 여러 요소 — 지식, 유형, 방식, 소재 등 — 가 차지하는 위치가 당연히 커져 가고 있다.

현대 사회와 문화의 이 같은 과학기술화 현상은 이제 지극히 보편적이 되었다. 어쩌면 이 같은 현상이야말로 현대 인간의 삶의, 그리고 현대 사회와 현대 문화의 가장 중요하고 특징적인 측면이 되었다고 할 수 있으며, 이제 더는 이 같은 성격을 일부 특정 전문 분야에 국한된 특수한 성격으로 생각하기는 힘들다. 현대 사회·문화의 모든 분야가 이 같은 과학기술화로부터 자유로울 수 없게 된 것이다. 이런 면에서 우리가 사는 현대를 '과학기술 시대'라고 부를 수 있을 것이다.

이 같은 현대 사회가 필요로 하는 지식은 당연히 과학기술의 여러 요소에 깊이 관련되어 있다. 따라서 과학기술 위주가 되고 과학기술 취향이 되어 버린 사회와 문화 현상을 일반 지식인의 관심 대상에 포함시켜야 하는 것은 당연하다. 사회와 문화에 대한, 그리고 그 속에서의 인간의 삶과 가치와 믿음에 대한 지적·학문적 탐구의 대상에 과학기술과 관련된 이 같은 현상들을 필수적으로 포함시켜야만 하게 된 것이다. 그렇다면 이런 상황에서 이런 새로운 사회·문화 현상들이 인문학의 대상에 포함되어야 할 것은 당연하고, 어쩌면 그것들은 오늘날의 인문학에서는 가장 중요한 대상이 되어야 한다고 할 수 있다.

2

대학의 문제

위의 절에서 이야기한 작업 —— 새로운 사회·문화 현상들을 인문학에 포함시키는 작업 —— 은 이제 겨우 시작되고 있는 단계이다. 특히 이 같은 작업은 아직 대학의 인문학 속으로 제대로 들어오지 못하고 있다. 마치 르네상스 시기 새로운 르네상스 인문주의의 움직임이 대학 바깥에서 시작되었고 대학은 처음에는 오히려 그것에 저항했던 것과 비슷한 상황을 오늘날의 대학을 두고 보는 것 같은 느낌이 들기도 한다. 사실 오늘날의 인문학은 그 기원이었다고 할 수 있는 르네상스 인문주의 —— 당시 유럽 학문을 짓누르던 아리스토텔레스주의 스콜라 학풍에 반기를 들었던 —— 에서 찾아볼 수 있었던 개방성과 역동성을 상실했다고 할 수 있다. 더욱이 인문학의 여러 분야들도 이제는 전문화되어 있다. 그 같은 전문화의 결과, 제한된 범주에 안주해서 고착된 주제들에 대해 고착된 방식으로 집중하는 인문학의 기능인들이 우리 인문학을 지배하고 있는 오늘날의 인문학은 바로 그 스콜라 학풍으로 되돌아가 버려 거의 '신 스콜라 학풍' neo-Scholasticism이라고 부를 수 있을 정도가 되었음은 앞 장들에서도 지적한 바 있다.

이 같은 상황이 빚어낸 한 가지 특징적인 경향은 오늘날의 인문학 연구가 세부적인 주제들에 대한 연구들에만 몰입하고 이른바 '큰 질문' big question들을 회피하려 든다는 것이다. 이에 따라 의미 있는 중요한 질문들은 그것들에 대해 가장 잘 알고 있는 전문가들이 회피하고 오히려 문외한들이 나서는 경우가 많다. 전문가들은 그 같은 질문들을 손쉽게 던지고 답을 제시하는 문외한들을 비웃으면서 자신들은 나서지 않고 점점 움츠러든다.* 이런 경향은 더 진전되어 좁은 세부적 주제를 자신의 영역으로 삼아 그 주위에 두터운 장막을 치고 그 안에서의 연구 활동에만 몰두하면서 그 밖으로 넘어가는 것을 스스로 통제하는 경향으로 나타난다. 우리나라의 인문학에서는 이 같은 경향이 더욱 심하다. 좁은 전문 영역을 정하고 그 안에서 전문가로 행세하며,

---

* '중국의 과학이 왜 근대 과학으로 발전하지 못했는가'와 같은 질문 —— 이른바 '중국 과학의 Why-not 질문' —— 이 그 좋은 예로, 중국 문명에 관심이 있는 수많은 사람들이 지니는 이 질문에 대해 전문학자들은 그 같은 질문은 중국의 과학에 대해 훨씬 더 많이 알게 된 뒤에야 물을 수 있고 현재 상태에서는 물어서는 안 될 질문이라는 입장을 고집해 왔다. 그 사이에 수많은 문외한들이 이 질문을 던지고 그에 대한 손쉬운 해답들을 제시해 왔음은 물론이다. 김영식, 「중국 과학에서의 Why not 질문 : 과학혁명과 중국 전통과학」, 박민아·김영식 편, 『프리즘 : 역사로 과학 읽기』(서울대학교출판부, 2007), 421~444쪽.

때로는 다른 사람이 그 안으로 들어오는 것을 경계하는 일도 있고, 심지어는 각자의 좁은 영역들을 상호 존중하고 침범하지 않는 암묵적 동의가 이루어지기라도 한 것처럼 각각의 전문 분야에서의 권위를 무조건 인정하고 넘어가는 일도 드물지 않다. 이는 결국 모든 학자들이 특정한 자신의 전문 영역과 관점을 고수하고, 서로 다른 관점을 지니는 학자들이 같은 문제를 두고 진지한 학문적 논쟁을 벌이는 것 자체를 회피하는 풍조로까지 진전된다.

이 같은 인문학이 오늘날 대학을 지배하고 있다. 그러나 대학의 인문학이 계속 이런 상태로 남아 있을 수는 없을 것이다. 이에 대해 생각해 보기 위해 이제 역사상 대학과 지식, 학문이 어떻게 변화해 왔는지에 대해 살펴보자.[1]

역사상 대부분 그러했듯이 지식의 변화에 대한 요구는 대체로 대학 외부에서 시작한다. 그리고 대학 속에 있는 사람들은 흔히 이 같은 변화의 요구에 무관심하거나 무지하기 쉬우며, 때로는 그런 변화의 요구에 저항하기도 한다. 그럴 경우 지식의 변화는 주로 대학 외부 사람들이 주도해서 대학 외부에서 일어나며, 대학은 그 같은 변화로부터 단절되고 소외되게 된다.

대학 바깥에서 이러한 일이 생기는 것은 사회가 결코 대학에 의한 지식의 독점을 허용하지 않기 때문이다. 지식에 대한 사회의 요구는 다양하게 나타나며, 그 같은 다양한 요구를 지닌 사회가 대학이 제공하는 지식에 그대로 만족하려 들지는 않는 것이다. 이에 따라 항상 대학 외부의 여러 주체가 지식의 생산 과정과 발전 방향의 결정에 개입하려 하고 지식을 공유하려 하며, 때로는 새로운 대안적代案的 지식을 제시하기도 한다. 또한 이러한 새로운 요구들은 대학 바깥에 안주하지 않으며, 대학의 문을 두드리고 대학이 이를 수용해서 변화할 것을 요구한다. 예컨대 근세 초기 유럽의 왕실이나 도시민들, 그리고 기술자, 장인匠人 계층들은, 또한 남북전쟁 후 미국 사회의 신흥 계층은 당시 대학이 소유하고 제공하는 지식에 만족하지 않고 변화된 사회와 그 속에서의 자신들의 위치와 역할에 부응하는 새로운 지식을 요구했다.[2]

그러나 대학이 지식 변화에 대한 사회의 요구에 제대로 대처하지 못할 때, 결국 대학 외부로부터의 개혁의 시도가 나타나게 된다. 대학은 그 같은 개혁의 시도에 저항하기도 하고 그것을 받아들여 자체의 개혁을 꾀하기도 한다. 때로는 이 같은 사회의 요구는 아예 대학 바깥에서 대안적인 학문적 제도들을 만들어 내기도 한다. 그리고 사회가 대학을 제치고 대학 바깥에서 출현한 그런 새로운 제도를 그 사회의 지식 창출의 주된 도구로 선택하게 되는 일도 생길 수 있으며, 그렇게 되면 결국은 대학이 뒤늦게 그것을 받아들일 수밖에 없게 된다. 특히 현대 사회에서처럼 대학이 지식의 생산이나 전달 등의 활동의 핵심적인 주체가 된 후에는 지식과 관련해서 대학에 대해 제기되는 사회의 요구가 더욱 집요해진다. 새로운 지식의 주체가 대학 외부에서 대안적 제도를 세우고 거기에 안주하는 데 만족하기보다는 대학 속으로 들어가 그 안에 자리 잡음으로써 대학이 지식과 관련해서 지니는 압도적인 지위를 공유하려 들 것이기 때문이다. 오늘날 정보, '과학기술과 사회'STS(Science, Technology and Society), 환경, 생명 윤리, 여성 등의 문제들에 대한 학문적 추구가 당초 대학 외부의 사회 여러 영역에서 나타났지만, 이들 분야가 결국 대학에서 받아들여져 강의되고 연구되게 되어 온 것이 이를 보여준다고 할 수 있다.

사실 앞 장에서도 보았지만 13세기에 유럽에서 대학이 출현한 것 자체가 새로운 지식의 출현에 대해 기존의 학문 제도와 교육 제도가 제대로 대처할 수 없었기 때문이었다고 할 수 있다. 주로 이슬람으로부터 번역을 통해 유입된 다량의 고대 문헌에 담긴 새로운 지식과 그 같은 지식이 낳은 지적 욕구를 수용할 수 있는 새로운 제도로서 대학이 유럽의 여러 지적 중심지에서 생겨났던 것이다.[3] 그리고 그런 면에서는 중세 이슬람의 대학으로 불리는 '마드라사'도 마찬가지였다. 당시 팽창하던 이슬람 사회가 이슬람 율법 연구 및 교육에 대한 수요가 급격히 증대되어 가는 것에 대응해 그것을 충족시킬 수 있는 제도를 필요로 했고, 그 같은 필요에서 생긴 것이 바로 '마드라사'였던 것이다.[4] 중국과 일본의 근대화 과정에서 서양식 대학이 생긴 것도 마찬가지 시각에서 볼 수 있으며, 결국 실현되지는 못했지만 일제 시기 조선 사회의 민립民立 대학 설립 운동 역시 그 같은 새로운 지식의 상황에 대응해 '대학'이라는 제도가 생겨난 예로 볼 수 있다.

문제는 이런 식으로 지식에 대한 사회의 요구에 부응해서 생긴 대학이라는 제도의 속성이 지극히 안정되고 고정적이어서, 일단 생겨나 자리 잡은 후에는 쉽게 변화하기 힘들다는 점에 있다. 대학을 둘러싼 외부 사회의 여러 상황, 그리고 사회가 지식에 대해 지니는 요구는 계속 변화함에도 불구하고 대학은 그에 대응해서 변화하기보다는 그 같은 변화에 저항하는 일이 흔하며, 때로는 그러한 변화에 대한 저항의 중심에 서기도 하는 것은 바로 이 같은 대학의 속성 때문이다.

물론 대학 외부로부터의 변화에 대한 요구가 항상 타당한 것은 아니며, 또 대학 외부 사람들에 의해 추진되는 개혁이 항상 효과적으로 진행되는 것도 아니다. 특히 그러한 변화의 요구가 제기되는 처음 단계에서는 흔히 생경하고 성급한 개혁의 요구가 제기되고 그것이 서툴고 비효과적으로 추진되는 경우가 많다. 그러나 대학 바깥의 이 같은 개혁의 요구들은 쉽게 수그러들지 않으며, 실패를 겪고 경험을 쌓아 가면서 오히려 그 같은 실패를 교훈 삼고 경험에 바탕해서 도전을 계속하게 될 것이다. 그러한 도전들은 점점 강력해지고 더 효과적이고 설득력 있게 될 것이며, 아마도 결국은 대학이 이 같은 사회의 요구를 어떤 식으로든 받아들이지 않을 수 없게 될 것이다. 그리고 그렇게 될 때 그것은 이러한 도전의 내용을 수용하는 대학 자체의 주도적 대응의 형태로 나타날 수도 있지만, 대학이 그에 반대하고 그 내용을 무시하다가 끝내 외부의 힘에 굴복하는 피동적 대응의 형태가 될 수도 있다.

사실 외부의 비판은 많은 경우 대학 내부에 있는 교수들에게는 천박하고 속물스럽고 유치하고 즉물적卽物的이며 지나치게 공리주의적인 것으로, 때로는 무식하고 비학문적인 것으로 느껴지게 된다. 대학의 변화를 외치는 사회의 요구에 대학이 저항하던 과거의 여러 경우에도 당시 대학 내부의 교수들에게는 외부의 소리가 그런 식으로 느껴졌을 것이다. 그러나 '천박함', '속물스러움' 같은 속성들은 주관적이고 상대적인 것이어서, 외부 사람들의 눈에는 대학 내부의 지식과 대학 교수의 모습이 오히려 그런 식으로 비쳐질 수 있다. 또한 즉각적인 유용성, 외부 사회와의 유관성有關性(relevance) 등과 상관없이 학문 자체를 위한 학문의 이상理想, 그리고 지적 호기심이나 지적 만족 자체를 추구하는 지식 추구의 이상은 대학의 학문을 위해 지극히 중요하며 당연히 지속되어야 한다. 그러나 그렇다고 해서 반드시 모든 사람이 어떤 일정한 종류의 지적 호기심만을 지녀야 하고 그렇지 않은 것은 천박하거나 유치한 것이라고 말할 수는 없는 일이다. 물론 아무런 지적 호기심이나 모두 추구하고 장려할 것은 아니겠지만, 그것이 사람에 따라 다양할 수 있고 또 시대에 따라 변화할 수 있다는 것은 받아들여야 하는 것이다.

대학이 바깥 사회로부터의 요구를 수용하는 일이 크게 무리를 빚지 않고 순조롭게 진행될 때 그 사회의 학문과 문화의 발전은 순조로울 것이지만, 그렇지 못할 경우는 무리가 생기고 사회 발전에도 큰 장애를 빚으며 사회 전체에 커다란 피해를 가져다준다. 이와 관련해서 아마도 과거의 비슷한 상황에 대해 살펴보는 것이 도움이 될 수 있을 것이다.

가장 눈에 띄는 예는 16, 17세기 유럽 과학혁명 시기의 대학이다.[5] 당시 유럽 사회는 크게 변화하고 있었고, 새로운 계층이 새로운 문제들을 제기하고 새로운 지식을 요구했지만 대학은 13세기에 처음 출현한 이래 변함없이 기독교 신학, 아리스토텔레스주의 철학 및 과학에 바탕한 교육, 그리고 극도로 사변적思辨的이고 논리 위주, '책 위주'이고 세부적·지엽적인 문제에 천착하는 '스콜라 학풍'의 학문 활동을 지속하고 있었다. 실제로 대학에서 아무것도 배우지 못했다거나 대학에서 배운 것이 아무런 쓸모가 없었다고 하는 당시 대학 학생들의 이야기들을 많이 찾아볼 수 있다. 여러 면에서 그렇게 대조적이었던 베이컨Francis Bacon(1561~1626)과 데카르트René Descartes(1596~1650)가 당시 대학 교육과 지식에 대해서는 공통으로 불만스럽게 생각하고 있었던 것은 잘 알려진 사실이다. 이런 상황에서 과학혁명기의 새로운 학문 활동과 과학 활동은 대학 바깥에서 —— 아카데미, 궁정 등에서 —— 이루어졌으며, 그러한 활동을 위해 런던의 왕립학회와 파리의 왕립과학아카데미 같은 새로운 제도들이 생겨나기도 했다. 반면에 대학은 한동안 아리스토텔레스주의의 보루로, 그리고 새로운 학문 활동에 저항하는 중심지로 남아 있었다. 지역적으로는, 예컨대 과학혁명기 이후의 이탈리아나 스페인의 대학들이 그 같은 변화를 수용하는 데 특히 오랜 기간이 걸렸다.

반면에 대학이 대학 바깥의 사회적·문화적 요구에 적극적·진취적으로 대응한 역사적 예들도 많이 찾아볼 수 있다. 나폴레옹 전쟁에서의 패전 후 독일 문화의 고양을 통한 자존심 회복을 추구하던 분위기 속에서, 그때까지의 강의를 통한 지식 전달 위주의 교육에서 벗어나 학생들을 직접 연구 활동에 참여시킴으로써 지식을 생산하는 방법을 전수하는 연구 위주의 교육이 새롭게 시도된 19세기 독일 대학의 변화, 당시까지의 사회의 필요에 부응해서 고전 언어와 신앙 및 도덕 교육을 위주로 하다가 남북전쟁 후 새로운 사회의 요구에 맞추어 현대 언어와 과학기술 등 실용적인 지식 교육으로 전환한 19세기 후반 미국 대학의 변화, 그리고 서구 열강을 뒤쫓아 국가를 부강하게 하기 위한 수단으로 도입된 서양 과학기술과 서양 학문의 수용과 발전을 위해 이루어진 근대 일본 대학의 설립 등은 그 좋은 예들이다.

대학이 지식 변화에 대한 사회의 요구에 적절히 대응하지 못하고 그것에 저항하여 마찰을 빚을 때 발생하는 피해는 대학 교수들 자신에게 직접 즉각적으로 찾아오지는 않는다. 대학이라는 제도의 속성상 교수가 대학 속에서 권위와 세력을 계속 유지하는 것은 매우 쉽기 때문이다. 심지어는 이미 대학이 사회를 위해 아무런 기여를 하지 못하고 사회가 대학에 아무것도 기대하지 않는 상황이 되어도 대학 안에서는 교수가 그 같은 권위와 세력을 계속 유지한 채 군림할 수도 있다. 더구나 현대 사회에서는 학문 세계, 지식 세계에서 대학이 지닌 압도적인 지위 때문에 과거의 비슷한 경우보다 교수의 세력과 권위는 더 오래 지탱될 것이며, 특히 한국에서는 아마도 매우 오래 지탱될 수 있을 것이다.

그러나 이는 우리 사회에서 그 같은 대학에 끝내 변화가 일어나지 않고 넘어갈 수 있을 것임을 의미하는 것이 아니다. 오히려, 결국은 변화가 일어나고 말 것임에도 그에 저항하는 과정이 길어지면서 더 큰 무리와 폐단을 빚을 것이고 그 같은 무리와 폐단이 더 지속적이 될 가능성이 있다고 할 수 있는 것이다.

물론 대학이 지니는 이런 극도의 안정성은 좋은 점도 있고, 사실 애초에 그 같은 좋은 점 때문에 이처럼 안정된 성격의 대학이라는 제도가 생긴 것이라고 볼 수 있다. 그러나 대학의 안정이라는 것이 극단적인 형태로 고착되면 대학 교수는 차츰 사회와는, 그리고 바깥 사람들과는 동떨어진 지식을 추구하면서 그냥 대학 내부에서만의 '권위'와 '세력'만으로 남게 되어 버리는 일이 생길 것이다. 이같이 되어 버린 후의 대학 교수의 삶은 여전히 편안할 수도 있고, 교수들은 그 같은 편안함 속에서 권위와 세력을 계속 누릴 수도 있다. 그러나 밖에서 볼 때, 그리고 후세에 볼 때 이러한 교수들의 모습이 어떻게 비칠 것인가? 새로운 지식에 대한 변화된 사회의 요구를 외면하고 그에 저항하던 17세기 유럽의 아리스토텔레스주의자들, 19세기 말 사회의 변화를 외면하던 미국의 전통 고수주의자들, 그리고 구한말 서양 문명 도입기의 수구척사守舊斥邪주의자들이 바로 그 같은 모습을 보여주고 있는 것은 아닐까? 더구나 변화해 버린 상황 속에서 변화하지 않은 옛 틀의 교육을 계속 받아야 하는 학생들은 도대체 무슨 죄인가? 그런 상태에서 그 사이 얼마나 많은 현대의 베이컨과 데카르트들이 지독한 숨막힘과 무력감을 느끼며 대학 시절을 보내야 할 것인가?

3

인문학: 주제, 대상, 방법, 정신, 교양

사실 최근 우리 사회에서 자주 거론되는 '인문학의 위기'라는 것도 이같이 변화된 지식의 상황과 전통적인 옛 틀에 대한 집착 사이에 빚어지는 긴장을 반영하고 있다.* 이 문제에 관해서는 여러 사람에 의해 여러 곳에서 많이 논의되고 있지만, 여기서는 이 책의 취지와 관련 있는 한 가지 점에 대해 좀 더 이야기하도록 하겠다. 오늘날의 상황에서 그 위기를 해결하는 일이 전통적 인문학에 대한 집착의 형태로 나

---

* '인문학의 위기'라는 말이 우리 사회에서 자주 언급된 것은 비교적 최근의 일이지만, 그 같은 위기에 대한 인식은 현대에 들어선 후 지속되고 있었다. 실제로 이미 50여 년 전에 '인문학의 위기'를 제목으로 한 책이 편집되어 나오기도 했다. John. H. Plumb (ed.), *Crisis in the Humanities* (Harmondsworth, 1964).

타난다면 그것은 매우 적절치 못하며 위기의 실상을 철저하게 파악하지 못한 일이라는 것이다. 그것은 오늘날의 사회에서 인간이 처한 현실과 상황을 외면하고 전통적인 인문학의 성격에 맹목적으로 집착하는 태도이며, 따라서 오히려 '비인문적'이라고 할 수 있는 태도이다.[6]

물론 참다운 인문적 접근 —— 인간의 삶과 현실의 여러 문제에 대한 반성, 성찰, 탐색 —— 의 태도는 견지되어야 한다. 그러나 그러한 인문적 탐색은 제대로된 대상에 대해 수행되어야 한다. 그런 면에서 바로 질문이 생긴다. 현재 우리 인문학이 대상으로 하는 삶, 문제, 현실이 과연 현재 우리가 살아가고 있는 우리의 것들인가? 어쩌면 그렇지 못한 데에 문제가 있고, 그러한 문제가 위기를 빚은 것이 아닐까?

특히 문제가 되는 것은 대부분의 우리 인문학자들에게 인문학의 대상이 고착되어 바뀌지 않고 있고, 근대 인문학이 처음 자리 잡던 시기 —— 서양의 르네상스 시기나 중국 송대, 또는 기껏해야 서양 계몽사조기 또는 우리나라 개화기 —— 의 전통적인 대상과 주제가 그대로 내려오고 있는 듯하다는 점이다. 그 후 인간의 삶은 크게 바뀌었고 최근 수십 년, 특히 지난 10여 년 동안 인간의 삶의 방식은 엄청나게 바뀌었으며, 따라서 이렇게 변화되어 새로워진 인간의 삶·문제·가치 등을 인문적 반성과 탐색의 대상으로 해야 하는 것은 당연하다. 새로운 인문학은 전통적인 인문학의 대상이나 주제들만이 아니라 현재의 인간의 삶의 현실과 문제를 대상으로 해야 하는 것이다. 이와 관련해서 전통적 인문학의 주제와 대상이라는 것들이 사실은 르네상스 시기나 송대와 같이 새로운 사상적 흐름, 새로운 문화와 사회의 모습이 대두

되던 시기에 그에 따라 생겨난 새로운 삶, 가치, 문제들이었다는 것을 다시 상기할 필요가 있다. 오늘날 또한 그런 새로운 사상과 문화가 새로운 가치와 문제 등을 빚어내고 있는 시기이고, 그런 면에서는 새로운 인문학을 요구하는 시기라고 할 수 있기 때문이다.

따라서 이른바 '인문학의 위기'를 극복하기 위해 취해야 할 인문학의 태도가 어떠해야 할지는 분명하다. 그것은 전통적 대상과 주제에 대한 인문적 반성과 탐색을 통해 인문적 가치체계를 찾아내고, 그 가치체계를 변화된 인간의 삶과 문제에 적용하는 차원 — 그것이 매우 중요한 것은 사실이지만 — 에만 머물 수는 없다. 거기서 더 나아가 변화된 현재의 삶과 가치, 문제들을 대상으로 인문적 탐색을 통해 새로운 가치체계를 찾아내는 새로운 인문학의 정립이 필요한 것이다. 특히 중요한 것은 현재 인간의 삶과 문제에서 큰 위치를 차지하는 과학기술, 정보, 경영 등이 당연히 인문적 추구의 중요 대상이 되어야 한다는 점이다. 문학, 역사, 철학 등 모든 분야가 현재 우리의 삶으로부터 동떨어진 기존의 대상과 주제의 테두리에서 벗어나서 이들 새로운 문화 요소들과 직접 마주쳐서 그 같은 요소들을 대상으로 인문적 반성과 탐색을 수행해야 하는 것이다. 그렇게 하지 않는 한 인문학은 오늘날의 사회적 요구에 제대로 대응하지 못할 것이다.

그러나 인문학을 지식이나 주제나 대상으로서만 생각할 수는 없다. 인문학을 또한 방법이나 정신으로서도 생각해야 하는 것이다. 인문학의 영역이라고 받아들여진 제한된 주제나 지식, 대상에 대해 공부하고 연구하는 것만이 인문학이 아니라, 모든 주제와 지식, 대상에 대해 인문학적 방법, 인문학적 정신으로 공부하고 연구하는 것이 인문학인 것이다. 특히 인문학적 방법과 정신을 가지고 새로운 지식과 주제, 대상들을 다루어 나가야 할 것이다. 인문학이 '인문학'이라고 불리는 것은 지식의 내용 때문이 아니라 인문학 공부와 연구 방법과 정신 때문이다. 당연히, 인문학에 속하지 않는 수많은 분야들이 인문학적 공부, 연구, 분석의 대상이 되어야 한다.

그렇다면 인문학적 방법과 정신이란 무엇인가 하는 질문이 당연히 제기된다. 그러나 이것을 간단히 규정하기는 힘든 일이며, 적어도 내 자신의 능력으로는 불가능한 일이다. 실제로 사람마다 각각 자신의 인문학적 방법과 정신을 지니고 있기 때문이다. 그렇지만 이와 관련해서 한 가지 이야기할 수 있는 것은 그것이 무슨 공식이나 법칙에 바탕한 것이 아니라는 사실이다. 따라서 어떤 주제에 대한 인문학적 추구가 그것을 추구한 사람이 누군가에 관계없이 같거나 다른 사람에 의해 그대로 재현될 수 있는 것이 아니다.

그러나 그렇다고 해서 인문학적 방법이 모호하고 부드러우며 상상력이나 공감에만 의존하는 것이라고 생각해서는 안 된다. 인문학도 엄밀하고 딱딱한 면이 있고 이해와 분석에도 의존하며 명확한 설득을 추구하기도 한다. 이런 면에서 일부에서는 인문학에 '과학'이라는 말을 붙여 '자연과학', '사회과학'에 대응하는 '인문과학'이라는 분야를 이야기하기도 한다. 그렇지만 많은 사람들이 굳이 '인문과학'이란 말을 쓰지 않고 '인문학'이라는 말을 선호하는 이유는 인문학이 추구하는 엄밀함과 정확함이 '과학'에서 추구하는 것과는 다르다고 생각하기 때문일 것이다. 그것은 과학의 정확함과 엄밀함보다 더 깊이 있는 정확함과 엄밀함이라고 할 수 있다. 그리고 그러한 엄밀함과 정확함의 추구는 한계가 없이 진행되어야 한다. 물론 그 엄밀함과 정확함의 성격이 항상 일정한 것은 아니다. 세상이 바뀜에 따라 바뀌고, 때로는 그렇게 바뀌면서 세상을 바꾸기도 한다. 다만 그 엄밀함과 정확함의 추구는 계속되어야 하는 것이다.

다른 한편 '인문술'人文術이나 '인문도'人文道라고 하지 않고 '인문학'이라고 한다는 사실도 생각해 볼 만하다. 이는 인문학이 무슨 술법이나 기술이 아니라 학문이라는 것을 말해 준다. 인문학적 방법이라고 하는 것이 자신만의 깨달음이나 '득도'得道 같은 것이 아니라 다른 사람들에로의 전달과 이해를 추구한다는 것을 의미한다. 때로는 그렇게 이해하고 이해시키고 전달하고 해야 하는 내용이 지극히 힘들 수도 있지만 그렇다고 이해와 전달의 노력을 포기해서는 안 되는 것이다.*

이런 주제와 대상, 방법과 정신을 지닌 인문학은 폭넓은 분야이다.

---

* 내가 가장 경계하는 것은 그 같은 이해와 전달이 어렵기 때문에 그런 노력을 적당한 선에서 포기하고 오히려 독자나 청중의 부담으로 남겨 두는 저자나 작가이다. 특히 그 결과 존재하는 모호함과 어려움을 자신의 무능이나 철저하지 못함이 아니라 깊이인 것으로 — '인문학적 깊이'인 것으로 — 속이거나 스스로 착각하는 사람들이다. 독자들은 많은 인문학의 책이나 강연 등에서 그런 예들을 종종 접하게 될 것이다. 그때마다 그들이 전달하고자 하는 바를 이해하려고 노력은 해야 하겠지만 그들의 그런 태도에 속지 말아야 할 것이며, 특히 인문학을 지망하는 학생들은 그런 태도를 본받지 말아야 할 것이다.

사실 인문학의 주된 영역인 문학, 역사, 철학은 사회와 문화의 모든 영역을 대상으로 한다. 직접 인간 사회의 실제 생활을 포괄하는 문학이야 말할 것도 없지만, 역사도 정치사, 사회사, 경제사만이 아니라 사상, 종교, 예술, 과학, 기술, 법 등 모든 영역을 대상으로 한다. 그리고 철학도 원래는 인간의 모든 지식 분야를 포괄하던 데서 시작해서 여러 분과 학문을 독립시키면서 점점 영역을 좁혀 왔지만, 오늘날에 와서는 그렇게 좁혀진 엄밀한 시각과 문제의식을 가지고 다시 모든 영역을 철학적 탐구의 대상으로 삼고 있으며, 이에 따라 종교철학, 과학철학, 기술철학, 예술철학, 경제철학 등 무수히 많은 분야를 포함하게 되었다. 언어학의 경우는 언어에 대한 과학적 분석이 그 주된 추구라는 점에서 그 자체가 과학으로서의 성격을 지니기도 하고, 또 인간의 가장 중요한 요소인 언어의 여러 다양한 측면을 모두 포함하는 폭넓은 성격을 지닌다.

따라서 이런 다양한 대상을 다루어야 하는 인문학을 공부하고 연구하는 사람들은 관심이 다양해야 하고 폭넓은 공부를 해야 한다. 물론 오늘날 학문의 전문화와 그에 따른 분야간 상호 유리 상태가 심화되어 가고 있고, 이런 현상이 우리나라에서는 더욱 심하지만, 그런 폐단이 심각해지면서 그 폐단이 인식되어 가고 있기 때문에 이와는 반대로 폭넓음을 지향하는 움직임이 생겨날 것이다. 사실 그런 방향으로의 움직임은 이미 시작되었다. 기존 분야들 속에서의 내용의 변화와 함께 새로운 내용, 새로운 이론과 방법, 틀 등이 생겨나고 있을 뿐만 아니라 새로운 분야들이 등장하고 있으며, 기존 학문 분야들 사이의 경계가 와해되어 가고 있고, 이와 동시에 학문 분야들의 전문화·세분화도 심화되어 가고 있는 것이다.

이 절에서 이야기해 온 내용과 관련해서 내가 특히 심각하게 느끼는 폐단이 이 책 첫 장에서 이야기한 문과–이과의 구분이다. 특히, 첫 장에서도 이미 이야기했지만, '문과'에 속하는 사람들이 오늘날 사회와 문화의 가장 중요한 요소인 과학과 기술에 대해 지니는 편견과 무지가 심각하다.* 우리 인문학자들이, 특히 젊은 인문학자들이, 그리고 인문학의 수요자이자 소비자인 독자들이 과학과 기술에 대한 그같은 편견에 빠지지 말고 적극적으로 그것들을 이해하려는 태도를 지녀야 할 것이다. 물론 과학기술을 이해한다는 것은 어려운 일임이 사실이다. 그러나 일반인들에게 요구되는 것은 과학기술의 전문가가 되기 위한 전문 지식을 갖추라는 것이 아니라, 사회와 문화 속에서 과학과 기술이라는 분야와 활동의 역할, 의의, 영향 등을 이해하라는 것이다. 누구나 회피하지 않고 관심을 가지고 노력하면 그 정도의 이해는 얼마든지 가능하다. 사실 그렇게 하지 않고 과학과 기술을 무시한 채 지내도 이른바 '문과인'들의 편견에 둘러싸여 생활해 가면서 불편한 점을 모르고 지낼 수도 있다. 그렇지만 그렇게 지내는 사람이 오늘날의 사회에서 살아가면서 입을 손실은 엄청날 것이고, 그 결과 그가 지니게 될 지적 관심은 오늘날 사회와 문화의 커다랗고 중요한 부분을

---

* 물론 그 반대 방향의 편견과 무지, 즉 과학기술에 종사하는 사람들의 인간과 사회 문제에 대한 무지와 편견도 심각하다.

포함하지 못하는 좁은 범주에 갇히고 말게 될 것이다.

또 한 가지 지적하고 싶은 점은 인문학이 인문학 전공자들만을 위한 것은 아니라는 것이다. 인문학은 모든 사람들의 폭넓은 교양을 위해 필요하다. 또한 인문학은 여러 전문 학문 분야의 기초로서 중요하다. 실제로 대학에서 인문학을 전공하는 학생들 중 소수만이 나중에 직접 인문학을 전공하는 학자가 되며, 인문학 분야 전공 졸업생 중 다수는 다른 일에 종사하게 된다. 많은 학생들이 궁극적으로 인문학이 아닌 더 실용적인 분야에 종사하려는 희망과 계획을 가지고 인문대학에 입학하기도 한다. 그러나 그것은 잘못된 일이 아니라 자연스러운 것이다. 그리고 인문학이라는 분야의 성격 자체가 그런 희망과 계획을 두고 도움이 되는 것이기도 하다. 다양한 실용 분야에서 일해 나갈 많은 사람들에게도 인문학의 폭넓은 공부는 도움이 될 것이다. 사실 2장에서 보았듯이 대학이라는 것이 중세 유럽에서 처음 생긴 이래 한참 동안 대학의 구조가 바로 그 같은 학생들을 대상으로 이루어진 것이었다. 모든 학생이 교양학부에 입학해서 철학, 과학, 논리학, 수사학 등의 기초 수업을 받은 뒤 법학부, 의학부, 신학부의 세 개 학부에 진학해서 전공 교육을 받은 것이다. 오늘날 대학의 인문학이 이 같은 기능을 되찾아야 할 것이라고 나는 생각한다. 실제로 그렇게 하는 것이 '인문학의 위기' 해결에 기여하는 하나의 길이 될 것이다.

한편 인문학으로부터 실용 전문 분야들로 옮기는 흔히 보는 전환과는 반대 방향의 전환들, 다시 말해서 실용 전문 분야들에 대한 관심으로부터 인문학에 대한 관심으로 옮겨 가는 전환도 가능하며, 실제로 있어 왔다. 그리고 이런 반대 방향의 전환들이 수적으로는 훨씬 적지만 매우 값진 결과를 내는 경우를 자주 본다. 역사상 여러 위대한 인문학자, 문인, 과학자의 전기를 보면, '일찍이'(주로 부모의 권유로) 변호사, 의사, 성직자가 되려고 공부하다가 인문학의 어느 분야나 문학, 과학 등에 흥미를 느끼고 결국은 평생을 그 분야에 종사해서 탁월한 업적을 내는 예들이 많다. 사실 어린 나이에 인문학의 한 분야에 깊은 흥미를 느끼거나 소명을 느낀다는 것은 가능한 일이 아니다. 오히려 실제 사회의 구체적인 직업들에 종사할 희망과 계획을 세우고 있는 것이 더 현실적일 것이다. 그리고 그런 식의 현실적인 희망과 계획을 추구하는 과정에서 인문학 분야를 접해 그 분야에 흥미를 갖고 선택하게 되었을 때, 그것이 진정한 흥미이자 진정한 선택이라고 할 수 있을 것이다.

4

과학기술 시대 인문학의 과제

인문학에 대해 이만큼 이야기했으니, 이제 다시 과학기술에 대해 이야기하기로 하자.

앞 장들에서 전통 시대 동양과 서양 양쪽 모두에서 자연 세계와 과학적 지식에 대한 탐구가 더 넓고 깊은 인문적 추구의 일부로 포함되어 있었음을 보았다. 우선 서양의 학문체계 속에서 과학적 지식은 빼놓을 수 없는 일부였다. 고대부터 르네상스 인문주의자들에 이르기까지 서양의 학자들은 자연 세계나 과학을 자신들의 지적 관심에서 배제하지 않았던 것이다. 동양에서도 텍스트text에 대한 인문학적 연구에서 과학기술이 제외된 적은 없었다. 동양의 유학자들은 경전經典이나 정사正史에서 자연 세계와 과학 지식에 대해 다루는 구절들을 피하지 않고 자세히 공부했다. 그들에게는 그렇게 하는 것이 '천리'天理의 추구를 통해 성인聖人에 이르는 과정이었던 것이다.

　동서양 전통 사회에서 과학적 지식이 처했던 이 같은 상황, 즉 비록 가장 중요한 부분은 아니었지만 학문체계의 당연한 일부로서 과학적 주제들이 포함되어 있던 상황은 '인문학의 위기'를 겪고 있는 오늘날의 우리에게 시사하는 바가 크다. 왜냐하면, 현대 사회와 문화를 지배하는 과학기술이 야기한 문제들에 직면한 오늘날의 인문학의 과제는 과학기술을 반대하고 극복하고 회피하고 격리하거나 과학기술과 경쟁하는 것이 아니라, 과학기술을 포용하고 이해하고 사용하고 다루는 것이기 때문이다. 또한 과학이 인문적 주제들로부터 격리된 오늘날의 상황이 자연과학이 본질적으로 그래야만 할 상황이 아니라 서양 근대 과학의 발전 과정에서 빚어진 특수한 역사적 상황이었다는 것도 상기할 필요가 있다. 역사상 대부분을 통해 그러한 분리 상태는 존재하지 않았으며, 그렇다면 분리되지 않고 그렇게 함께 있는 것이 더 자연스럽고 당연한 상황이었다고 할 수 있는 것이다.

　게다가 현대의 사회, 문화에서 과학이 엄청난 중요성을 지니게 되었다. 오늘날 과학은 모든 영역에서 중요한 요소가 되어 있으며, 깊은 영향을 미치고 있다. 우선 과학은 특히 기술을 통해 그처럼 중요한 역할을 하고 있다. 당초 자연 세계에 대한 지적 추구의 중요성 때문에 지식인의 관심 대상에 포함되었던 과학이, 이제는 기술을 통해, 인간과 사회의 일부가 된 기술을 통해 현대 지식인의 생활의 필수적인 부분, 관심의 필수적인 부분이 되었다. 상황이 그러한데도, 자신들을 둘러싼 세상이 온통 과학기술의 세상이 되어 가고 있는데도 오늘날 인문학자들이 현대 사회, 현대 문화의 가장 특징적인 과학기술을 제외시키고 무시하고 있는 것이다. '인문학의 위기'란 바로 인문학과 과학을 포함한 여러 전문 지식 사이의 이 같은 분리와 격리 때문에 일어난 것이라고 볼 수 있을 것이다. 그리고 인문학의 위기가 한국에서 특히 심각한 것은 그 같은 분리 상태가 한국 사회에서 특히 심하기 때문이다.[7]

한편 오늘날 인문학 분야들 자체도 과학 분야들처럼 전문화되어 가고 있고 이미 전문화되어 있다. 처음 자연과학 분야들이, 그리고 이어서 사회과학 분야들이 그랬듯이 이제 인문학 분야들도 전문 지식 분야가 되어 가고 있는 것이다. 이에 따라 대부분의 인문학 연구자들이 분야별 전문가 집단을 형성하면서 그 속에서 전문적인 연구, 토론, 경쟁에 몰두하고 있다. 이런 면에서는 오늘날 인문학 분야들도 '군자불기'君子不器의 대상인 '기'器가 되어 버렸다고 할 수 있다.* 그런데 인문학이 이런 형편인데도 과학기술이 인간을 황폐화시키고 있다고 주장하는 인문학자들이 많이 있다. 오히려 이 같은 인문학자들이 인문학을 황폐화시키고 있는 것은 아닐까? 과학기술과의 연결을 통해 그렇게 황폐화되어 가고 있는 우리 인문학을 구제해야 하는 것은 아닐까?

오늘날 거론되고 있는 '인문학의 위기'의 중요한 측면 한 가지는 '인문학'이라는 것이 어떤 목적, 어떤 성격을 지니는 학문인가 하는 질문에 대답하기가 힘들어진 상황과 관련이 있다. 물론 자연과학이나

---

* '君子不器'라는 말과 그것이 동아시아 전통 유학자들에게 미친 영향에 대해서는 앞의 3장 131~132쪽을 볼 것.

사회과학이라고 해서 그것들이 어떤 목적, 어떤 성격을 지니는 학문인가 하는 질문에 대답하는 것이 쉬운 일은 아니지만, 그래도 얼마간은 가능하다. 그러나 인문학의 경우는 이들보다 훨씬 막연하게 느껴진다. 손쉽게 인문학이란 인간의 삶에 대해서 다루는 학문이라고 말할 수 있겠지만, 그렇다면 생물학이나 경제학을 인문학에서 제외할 근거가 없어진다. 그렇다고 '과학적'이 아닌 분야가 인문학이라고 할 수도 없는 것 아닌가? 이 어려움의 근원 한 가지는 인문학이라는 것이 적극적으로 정의되기보다는 소극적으로 규정된다는 사실이다. 모든 학문 분야가 함께 포함되어 있던 서양 학문에서 자연과학, 사회과학 분야들이 전문화되어 분리되어 가면서 남은 영역들이 인간의 삶과 현실에 대한 성찰, 반성의 분야들로서 '인문학'이라는 이름이 주어진 면이 있기 때문이다. 그렇다면 그동안 흔히 인문학에 속한다고 생각해 온 분야들마저도 전문화되어 이런 반성과 성찰의 영역으로서의 '인문학'으로부터 분리되어 나가면서 남겨진 부분이 점점 '결핍'의 증세를 보이고 있고, 그것도 '인문학의 위기'의 한 측면이 아닐까?

한편, 과학기술과 관련해서 그동안 인문학이 수행해 온 기능 한 가지는 과학기술이 가져온 폐해를 지적하는 일이었다. 실제로 그동안 인문학자들이 과학기술과 관련해서 해온 일은 주로 여기에 집중되어 있었다고 말할 수 있다. 예를 들어 과학기술의 발전이 환경 오염, 생태계 파괴, 에너지 고갈을 야기했고 생명의 존엄성에 대한 도전이었으며 국가간·계층간 불평등을 빚은 점에 대해 많은 인문학자들이 지적하고 비판하고 분석, 해석해 왔다. 사실 이는 인간의 노동이 기계에 종속된다는 생각에 바탕해서 기술에 의한 인간의 종속을 지적한 마르크스Karl Marx(1818~1883) 이래의 전통이라고 볼 수 있는데, 현대에 와서는 하이데거Martin Heideger(1889~1976), 멈퍼드Lewis Mumford(1895~1990) 등의 독특한 견해들까지 가세해서 노동만이 아니라 인간의 도덕, 정서 같은 것들까지도 기술에 종속된다는 생각으로 더욱 심화되었다.[8]

물론 과학기술의 발전이 야기한 그 같은 폐해와 인간의 종속 상태의 실상을 제대로 이해하는 것은 중요하며, 그런 이해가 그 폐해와 종속을 해소하는 데에도 도움이 될 것이다. 그러나 그것으로 끝날 수는 없다. 위에서도 보았듯이 과학기술의 순기능과 과학기술이 가져다준 이익이 있기 때문이다. 때로는 한 분야에서의 과학기술의 발전 때문에 다른 분야의 과학기술이 가져온 폐해에 대해 사람들이 알게 되기도 한다. 예를 들어 사람들로 하여금 오존층의 존재와 오존층에 생긴 구멍의 폐해를 알게 해 준 것은 바로 과학기술 연구였다. 또한 과학이 자연 세계와 인간에 대해, 그리고 자연과 인간의 관계에 대해 더 깊은 이해를 제공해 줌으로써 사람들이 환경, 생태계, 자원 등의 문제에 관한 균형 잡힌 시각을 지니는 데에 기여하기도 한다. 사실 근래에 와서는 기술의 상황도 변화하고, 그에 따라 기술에 대해 사람들이 지니는 관념도 변화했다.* 그리고 이에 따라 기술과 인간의 관계도 복잡해져서 이제 단순히 인간이 기술을 '통제'하거나 '이용'하는 관계만으로 환원되지 않게 되었다.[9]

이런 상황에서 인문학이 과학기술을 저항하거나 외면할 수는 없다. 현대 사회와 문화의 가장 중요한, 가장 특징적인 요소인 과학기술과 인문학의 연결이 필요한 것이다. 그러면 인문학을 과학기술과 어떻게 연결시킬 것인가? 이는 '과학기술 시대'인 오늘날 인문학에 주어진 과제이자 도전이라고 할 수 있다.

물론 이것은 우리나라만 접한 도전이나 문제는 아니며, 우리만 해결해야 하는 것도 아니다. 현대의 인문학, 전 세계 인문학의 문제인 것이다. 이 도전에 대해서는 많은 사람들이 많은 생각과 많은 방식들을 제시할 것이고, 결국은 누군가가 해결할 것이다. 그리고 우리는 그렇게 해서 주어진 해결 방식을 받아들이게 될 것이다. 그러나 그렇다고 우리 인문학은 그냥 그렇게 기다리기만 할 것인가? 우리도 이 도전에 접해서 우리의 방식을 제시해야 하는 것이 아닌가?

사실 최근 들어 우리나라 인문학계에서 '인문학의 위기'에 대한 해결 방안으로 많은 것들이 제기되고 시도되고 있다. 우리 사회의 많은 인문학자들이 새로운 대상에 대해 새로운 방법론을 사용하는 시도들을 많이 하고 있다.** 인문학이 이런 일들을 하는 것은 물론 중요하다. 그러나 그렇다고 새로운 주제, 새로운 방법론만으로 치닫는 것은

---

* 홍성욱은 이를 다음과 같이 이야기한다. "이러한 기술은 점점 작아지고, 더 많은 상호연관을 생성해내고, 더 비물질적인 것이 되고, 더 유연하고 가상적인 것이 되었다. 아이드(Don Ihde)의 말을 빌면, 우리 주변에는 어느새 기술혐오론자보다 기술애호론자들이 훨씬 더 많아졌으며, 이렇게 바뀐 환경 속에서 과거의 비관론은 설 자리가 없어졌다." 홍성욱, 「인간과 기계, 인문학과 테크놀로지」, 『테크네 인문학을 향하여』(연세대학교 미디어아트연구소, 2008. 5. 22 테크네심포지엄 1 발표자료집), 8~23쪽 중 17쪽.

** 한국학술진흥재단의 지원으로 2007년에 시작된 인문한국(HK)지원사업의 주제들이 이 같은 상황을 잘 보여준다.

바람직하지 못하다. 특히 최근 들어 두드러지게 나타나는, 화려하고 색다르고 흥미 있는 것만을 향하고 기본적이고 전통적인 것을 제외하는 경향은 우려스럽다. 또한 외국 학계의 새로운 경향들, 특히 사회과학의 새로운 개념 틀이나 방법론들을 무작정 추종하는 일도 바람직하지 못하다. 기본은 지키고, 그 같은 기본을 포함시키면서 새로운 것을 추구해야 할 것이다. 그러나 반대로 기존의 전통적인 틀과 방법, 대상에만 안주하는 것 또한 큰 문제임이 사실이다. 그렇다면 과연 어떻게 해야 할 것인가?

과학기술과 인문학 : 연결의 모색

앞 절에서부터 비슷한 질문을 되풀이하고 있지만, 이 같은 질문에 대해 나 자신 뾰족한 대답이나 해결책이 있는 것은 아니다. 사실 네 장으로 이루어진 이 책 전체의 주된 목적은 새로운 해결책을 제시하기보다 과학기술로부터 철저히 유리되어 있는 우리 인문학의 상황이 심각한 문제임을, 그리고 과학기술과 분리된 인문학의 그 같은 상황이 인문학의 본질적인 성격으로 보나 인문학의 역사적 전개 과정으로 보나 정당화될 수 없는 것임을 강조하려는 것이었다. 그리고 앞의 세 장에서 그러한 점을 충분히 지적하는 것이 내게는 중요했다. 그러나, 비록 이 같은 상황을 해소하기 위해 어떻게 할 것인가 뾰족한 대답이 없기는 하지만, 이제 그에 관해 몇 가지 이야기를 해보도록 한다.

우선 할 수 있는 이야기는 인문학과 과학이 분리되어 있지 않았던 과거의 상황으로 되돌아가자고 하는 것은 비현실적이고 불가능한 일이라는 것이다. 그 같은 분리의 과정을 이미 겪은 인문학과 과학기술이 그 과정을 통해 일어난 변화, 그리고 그 과정의 결과로 자리 잡은 주위의 상황은 그대로 둔 채 그냥 과거의 상황으로 돌아갈 수는 없는 것이다. 그 같은 변화를 겪고 그 같은 성격을 지니게 된 인문학과 과학기술이 이제는 그렇듯 변화된 상황에서 변화된 성격을 지닌 채 다시 만나고 다시 연결되어야 하는 것이다. 그리고 설사 인문학과 과학이 그 이전의 상황으로 돌아갈 수 있다고 해도, 그렇게 돌아간다면 그 상황에서 인문학과 과학기술과의 연결이라는 것이 의미가 없는 것일 수도 있고, 굳이 그 같은 연결을 시도할 이유가 없는 것일 수도 있다.

또한 인문학과 과학기술을 연결하는 새로운 '틀'이나 '패러다임' paradigm을 찾아야 한다고 말할 수 있겠지만, 그런 당연한 원론적 주장은 구체적인 연결 방법을 찾는 데 별다른 도움이 되지 않는다. 사실 인문학과 과학을 연결하려는 그간의 시도들은 구체적인 방법보다는 근본적·원론적 차원에서의 일반적인 방향을 제시하는 데에 치중해 왔다. 예를 들어 일찍이 1882년에 아널드Matthew Arnold가 '문학과 과학' Literature and Science이라는 제목의 강연*에서 문화가 '현대 과학의 결과들을 행동에 대한 우리의 필요, 아름다움에 대한 우리의 욕구'에 연관 지을 수 있도록 해 주어야 한다고 주장함으로써 그 같은 일반적 방

---

* 아널드의 이 강연은 그보다 2년 전에 과학 교육의 중요성을 강조한 헉슬리(Thomas Huxley)의 'Science and Culture'라는 제목의 강연을 반박하는 내용이었다.

향을 제시한 바 있다.** 근래에 기술이 인간 사회에 미친 영향의 부정적인 측면이 주목되면서는 기술(또는 과학기술)과 인간(인문학)과의 공존과 화해를 과학기술과 인문학의 연결 방법으로 제시하는 경우가 많다. 최근 국내의 한 학술 심포지엄에서도 그 같은 주장들이 제기되었다. 예를 들어 홍성욱 교수는 "기술과 함께 살아가는 법을 배워야 하고 인문학이 이를 도와주어야" 한다고 주장했으며,[10] 문병호 교수도 "자연-인간-기술의 화해"를 이야기했다.[11] 그러나 이런 일들을 구체적으로 어떻게 해서 과학기술과 인문학의 연결을 이루어 낼 것인가 하는 문제에 대한 해답이 제시되었던 것은 아니다.

최근에는 최재천 교수가 윌슨Edward O. Wilson의 책 제목인 '컨실리언스'consilience란 단어를 번역하면서 사용하여 국내에서 크게 유행하고 있는 '통섭'統攝이라는 말이 인문학과 자연과학의 단순한 만남이나 융합을 넘는 더 깊은 — 높은 — 수준의 연결을 가리키는 것으로 널리 사용되고 있으며,[12] 이제는 그 같은 의미의 학문간 '통섭'이 필요하다는 점에 넓은 공감대가 형성되어 가고 있다. 그러나 이들 '통섭'의 논의는 대부분의 경우 누구나 받아들일 당연한 구호로 제시되고 있는 수준이며, '통섭'의 구체적인 방법에 관한 논의가 있는 것은 아니다. 최 교수 자신이 현재 흔히 행해지는 이른바 '학제적'interdisciplinary 연구가 충분하지 않음을 지적하면서 "진정 학문의 경계를 허물고 일관

** 여기서 특히 '아름다움'(beauty)이라는 말은 자연의 아름다움의 추구, 과학에서 맛보는 아름다움, 그리고 심지어 기술의 아름다움에 이르기까지 다양한 의미를 지닐 수 있다.

된 이론의 실로 모두를 꿰는" 통섭이 필요함을 주장하지만,[13] 구체적으로 어떻게 할 것인가에 대해 방안을 제시하는 단계에 이르지는 않고 있다. 사실 나 자신도, 이 책만이 아니라 과학기술과 인문학이 분리된 상황을 지적하고 비판하는 그간의 다른 강연들이나 글들에서도, 주로 그 같은 상황의 폐단이나 부당함, 문제점을 지적했을 뿐 그에 대한 해결책을 제시할 수 있었던 적은 없었다. 예컨대, 윌슨은 모든 학부 학생들, 그리고 모든 대중 지식인과 정치 지도자들이, "과학과 인문학의 관계는 무엇이고 그 관계가 인간 복지에 어떻게 중요한가?"라는 질문에 답할 수 있어야 한다고 당당하게 주장하는데,[14] 나는 아직 윌슨의 이 질문에 답을 하지 못한다. 길게 자세하게 답하지 못하는 것만이 아니라 짧게 한 문장으로도 답을 못한다.

그렇다면 구체적으로 어떻게 할 것인가? 먼저 인문학과 과학 사이에 있을 수 있는 여러 종류의 만남, 연결들에 대해 생각해 보자.

우선 과학의 해설이나 모형, 그리고 과학기술과 관련된 퀴즈 · 게임 · 만화 등을 통해 과학기술을 쉽게, 흥미 있게 해 주는 작업이 있다. 그러나 이것을 우리가 찾는 진정한 연결이라고 할 수는 없다. 더구나 이런 식으로 과학기술을 쉽고 재미있게 해 주는 데에는 한계가 있을 수밖에 없다. 이미 전문화되어 버린 과학기술이 지니는 본질적인 어려움 때문이다. 결국 정공법을 택해서 아무리 어렵고 이해하기 힘들더라도 과학기술과 정면으로 맞닥뜨려야 한다. 과학기술이 현대 사회, 현대 문화에서 지닌 역할이 워낙 중요하기 때문에 쉬운 방법을 찾아 회피하거나 제쳐 두거나 무시하고 외면할 수 없는 것이다. 그 같은 정공법을 위해서는 과학기술이 — 그 내용과 활동이 — 그렇게 어렵고 힘들다는 것을 분명히 인식하고 받아들이는 일이 중요할 것이다. 그리고 일단 그 같은 인식에 바탕해서 과학기술과 맞닥뜨려 이해하려고 노력함에 있어 염두에 두어야 할 것은 다행히도 일반 지식인들이, 또는 인문학자가 과학기술의 어려운 내용에 대한 전문가가 되어 첨단의 수준에서 활동하고 경쟁해야 하는 것이 아니라는 점이다.

다른 한편, 흔히 보게 되는 '인문학과 과학의 만남' 또는 '과학과 예술의 만남' 같은 모임에서 과학자와 인문학자들의, 과학자와 예술가들의 글자 그대로의 '만남'이 있을 수 있다. 그러나 이 같은 '만남'이 우리가 원하는 과학기술과 인문학의 연결을 이루어 줄 것이라고 기대할 수는 없다. 물론 인문학과 과학기술이 일단 분리와 장벽을 걷어 내고 소통과 교류를 갖는 것은 바람직한 방향으로의 움직임인 것이 분명하지만, 이 같은 '만남'을 통해 이루어 내는 '연결'에는 한계가 있을 수밖에 없기 때문이다. 특히 그 같은 만남을 추진하는 배경에는 여전히 과학자들과 인문학자들이 자신의 영역을 지키면서 각각 별개로 활동하다가 그런 장場에서 만나서 상대방과 무엇인가 필요한 것을 주고받을 수 있다는 손쉬운 생각이 보인다. 더구나 거기에는 과학적 대상을 인문학적으로 소화할 수 있도록 하는 작업은 과학자들이 맡고 인문학자들은 그것을 그냥 받아들이겠다는 손쉬운 생각 같은 것까지 보이기도 한다. 마치 인문학자들이 과학적 대상을 제외시키는 것이 당연한데, 이런 '만남'을 통해 그것에 접하기라도 해 주는 것만도 대단한 일인 듯한 느낌이 담겨 있는 것이다. 이런 면에서는 과학과 인문학의 '융합'을 표방하고 진행되는 이런 만남의 시도들이 오히려 둘 사이의 구분을 기정사실화하고 강화하는 측면도 지니고 있음을 볼 수 있다. 당연히 이런 만남은 진정한 만남이 될 수 없다. 개인 인문학자, 개인 과학자의 지식과 학문은 그대로 서로 격리되어 있는 채로 이들이 그냥 만나서는 제대로 된 어떤 연결도 이루어질 수 없는 것이기 때문이다. 개인 안에서 그 같은 연결이 이루어져야 한다. 그리고 인문학자 자신들이 연결의 전체 작업을 실제로 수행해야 한다. 그 같은 작업에는 과학의, 과학 지식의 얼마만큼을 받아들이고 얼마만큼을 이해할 것인가, 과학의 어떤 측면을 중요시할 것인가 같은 문제들에 대한 검토와 선택들도 포함되어야 할 것이다. 이런 일들이 이루어지면, 아마 군이 그 같은 '만남'의 장을 만들 필요 없이 개인 학자들의 작업에서, 개별 주제나 분야들에 대한 토론이나 발표장에서 과학과 인문학의 연결이 이루어질 것이다.

또다시 '어떻게'라는 질문이 나오게 된다. 과연 인문학이 과학기술을 어떻게 받아들여야 할 것인가? 역시 여러 종류, 여러 수준의 '받아들임'을 생각할 수 있다. 우선 필요한 것은 인문학이 과학을 받아들인다는 것이 상궤에서 벗어난 무슨 특이한, 심지어는 비정상적이기까지 한 일로 느껴질 수 있지만, 사실은 전혀 그런 것이 아님을 인식하는 일이다. 그것은 당연히 인문학의 일부여야 함에도 불구하고 인문학이 배제시키고 있고 배제시켜 왔던 것을 포함시키자는 것이지, 인문학의 바깥에서 이질적인 무엇을 찾아 받아들이자는 것이 아닌 것이다. 물론 그렇다고 해서 손쉬운 방법이 있을 수는 없으며, 따라서 그 같은 '받아들임'이라는 것이 어려운 일이라는 점을 인식하는 것도 중요하다.

그러면 이제 더 구체적인 방법에 대해 이야기를 시작해 보자. 인문학이 과학기술을 받아들이는 가장 초보적 수준으로 인문학자가 컴퓨터, 인터넷 같은 것을 사용하는 경우를 생각할 수 있다. 물론 이것이 과학과 인문학의 연결인 것은 사실이다. 그러나 이렇듯 과학기술의 결과물을 단순히 '사용'하는 것이 인문학과 과학의 제대로 된 연결이 아님은 분명하다. 또한 소설가나 예술가가 과학기술을 소재로 하는 경우도 생각할 수 있다. 주로 소설이나 예술 작품에 과학기술자나 기계 등이 등장하고, 이에 따라 과학기술 지식이 사용되는 경우들이다. 음악, 미술 등의 창작 과정에서 과학기술의 기법을 사용하는 경우도 근본적으로는 같은 수준의 예이다. 이런 예들은 워낙 분명하고 흔한 것들이어서 어쩌면 현대 사회에서의 인문학 (또는 예술)과 과학기술의 연결의 가장 눈에 띄는 표현일 수 있고, 누구도 부정하지 못할 연결의 증거가 되어 주기도 한다. 그러나 나는 인문학과 과학기술의 연결을 추구하는 일이 이 정도 수준에서 만족할 수는 없는 것이 아닌가 하는 의혹을 떨칠 수가 없다.

인문학자가 과학기술의 개념이나 지식을 원용援用 또는 전유專有하는 경우는 위의 예들과는 다른 성격, 다른 수준의 연결이라고 할 수 있을 것이다. 그러나 그 같은 원용이나 전유 역시 충분하다고 할 수 없다. 특히 그것이 고립된 지식, 단어, 물체만을 그냥 가져다 쓰는 피상적인 수준에 그쳐서는 큰 의미를 지니기 힘들다. 사실 오늘날 인문학에서 제대로 이해되지 않은 과학기술 용어들을 가져다 쓰는 일이 잦다. '엔트로피'entropy, '상대성', '양자'quantum, '불확정성'uncertainty 등이 좋은 예들이다. 그러나 이들 심오하고 난해한 물리학 용어들을 고립적으로 사용 —— 대부분 오용誤用 —— 하기보다는 이해하기가 비교적 쉬운 생물학이나 환경학의 지식을 보다 폭넓게 이해하고 자신의 사고 속에 용해시키는 일이 더 높은 수준이 될 것이다.* 분자생물학 지식의 핵심 내용은 얼핏 위에서 말한 물리학 용어들보다 더 어렵고 생소하게 느껴지겠지만, 사실은 주의를 기울이고 노력만 하면 고등학교 학생도 충분히 이해할 수 있는 수준인 것이다.

인문학이 과학기술을 대상으로 해서 학문적으로 다루는 경우, 즉 인문학자가 과학기술을 자신의 연구 주제로 삼아 연구하는 경우도 인문학과 과학기술의 연결의 형태로 들 수 있고, 어떤 면에서는 위에서 언급한 경우들보다 한 단계 더 나아간 수준의 연결이라고 할 수 있다. 대표적인 것이 과학사와 과학철학으로, 과학기술을 대상으로 한 역사와 과학기술을 대상으로 한 철학인 이들 분야는 20세기를 통해 꾸준히 성장해서 이제는 확립된 전문 학문 분야가 된 경우들이다.** 한편,

---

* 이와 관련해서 스노우(C. P. Snow)는 그냥 과학이라는 단어만을 사용하는 것이 아니라 그것이 "우리의 지적 경험 전체와 그 완전한 일부로서 동화되어야 한다"(assimilated along with, as part and parcel of, the whole of our mental experience)고 주장했다. *The Two Cultures* (Cambridge University Press, 1998), 16쪽.

** 과학기술이 사회와 문화에 어떤 영향을 미치고 사회와 문화의 요소들이 과학기술에 어떤 영향을 미치는가, 과학 지식의 특성이 무엇이고 그것이 지식으로 받아들여지는 근거가 무엇인가 같은 질문들이 이들 분야에서 다루는 대표적 주제들에 속한다.

다루는 주제의 필요에 따라 인문학과 과학기술이 만나고 연결되는 경우들이 있고, 그 같은 연결을 통해 생겨난 '학제적' 분야들이 있다. 인지認知과학 또는 뇌腦과학, 그리고 진화생물학 등이 그 같은 '학제적' 분야들의 대표적인 예이다. 그리고 이 분야들은 대부분 성공적으로 학문 세계에 자리 잡았다. 그러나 이것들이 자연과학에 속하는 분야들과 인문학의 만남이나 연결인 것은 사실이지만, 어디까지나 일정한 주제와 영역, 문제들의 필요에 의한 몇몇 개별 분야의 만남이나 연결에 지나지 않는다. 이것들이 인문학과 과학의 연결의 확실한 한 가지 유형임은 사실이고, 그 같은 연결을 통해 그간 이루어 낸 학문적 성과가 뚜렷하기에 자주 예로 언급되고 중요하게 여겨지지만, 이 같은 성격의 연결만으로 충분하다고 할 수 없는 것이다.

이쯤에서 '통섭'이라는 말을 다시 생각해 볼 만하다. '통섭'이라는 말이 '컨실리언스'consilience라는 영어 단어의 역어譯語로서 탁월함은 사실이다. 게다가 최재천이라는 탁월한 해설자를 통해 오늘날 우리 사회에서 '통섭'이라는 말이 크게 유행하고 있다. 그리고 '통섭'이라는 말을 사용해서 분리된 학문들의 융합을 주장하는 논지 또한 나무랄 데가 없다. 그러나 '통섭'을 화두로 해서 유행하고 있는 지금까지의 논의들에 나로서는 석연치 않은 점이 있기에 잠깐 지적할 필요가 있다.

우선 월슨 자신은 "세계가 정말로 지식의 통섭을 장려하게끔 작동한다면 …… 자연과학과 인문학은 21세기 학문의 거대한 두 가지가 될 것이다"라는 말로[15] 자연과학과 인문학의 분리를 일단은 현실적인 것으로 받아들이면서 그 둘 사이의 통섭을 주장한다. 문제는 모든 정신 과정이 궁극적으로 물리적인 기초를 지니고 있다고 믿는 윌슨이 인문학과 자연과학 사이의 '통섭'은 결국 인문학을—그리고 모든 학문을—자연과학으로 환원하는 방식으로 일어나야 한다고 주장한다는 것이다. "모든 현상들—예컨대, 별의 탄생에서 사회 조직의 작동에 이르기까지—이 비록 길게 비비 꼬인 연쇄이기는 하지만 궁극적으로는 물리 법칙들로 환원될 수 있다는 생각"인 것이다.[16] 따라서 윌슨은 유전자 '후성규칙'epigenetic rule들을 통한 인간 본성의 탐구, 그리고 '유전자-문화 공진화'gene-culture coevolution를 통한 문화의 탐구가 과학과 인문학을 연결하는 일의 핵심이라고 파악한다.[17] 심지어 그는 "가장 위대한 예술 작품들은 그것들을 이끌어 낸 후성규칙들을 탐구함으로써 근본적으로 이해될 수 있을 것"이라고까지 이야기한다.[18]

  이 또한 인문학과 자연과학을 연결 짓는 하나의 방식인 것은 사실이다. 그리고 여러 이유에서 이 같은 방식을 혐오하고 강력히 반대하는 사람들이 있기는 하지만, 이 같은 방식이 필요함도 사실이다. 그러나 나는, 그리고 나뿐만 아니라 수많은 사람들이 이 같은 '통섭'에 만족할 수 없다. 그렇게 하는 것이 불가능하리라거나 그렇게 하는 것이 옳지 않다는 것이 아니라, 그렇게 하는 것으로는 만족하지 못한다는 것이다. 가령 윌슨의 말대로 인간의 감정, 도덕, 가치와 사회, 문화의 모든 문제를 그 물리적 기초—유전자, 진화 등—를 통해 설명해 낼 수 있는 만큼 설명해 냈다고 하자. 그러나 그렇더라도 과연 우리가 거기에 만족할 수 있을 것인가? 내 자신의 분야인 역사학을 두고 윌슨은

"인간의 역사 과정을 물리적 역사 과정에서 — 그것이 별의 역사든 아니면 생물의 역사든 — 분리할 만한 근본적인 차이는 인간의 역사에 존재하지 않는다" *고 이야기한다. 물론 나는 월슨의 이 말에 동의하지 않으며, 그가 말하는 것과 같은 역사학이 가능하지 않다고 생각한다. 그러나 크게 양보해서 그 같은 역사학이 가능하다고 하더라도, 그것은 너무나 황량한 역사학이 될 것이라는 느낌을 피할 수가 없다. 군이 한쪽을 택하자면, 나는 오히려 반대 방향으로 인문학이 자연과학까지를 종합해야 한다고 생각하는 것이다.

어쨌든 인문학과 과학기술 사이에 지금까지 이야기한 여러 수준과 성격의 연결들이 현재 추진되고 있고, 이 같은 노력과 작업들은 계속 진행되어야 한다. 그러나 이것들이 만족스러운 연결이 되지는 못한다. 나 자신 구체적으로 대안이 있는 것은 아니지만 현재의 분리 상태가 지닌 심각함을 생각하면, 그리고 현대 사회와 문화에서의 과학기술의 위치를 생각하면 과학기술과 인문학 사이에 지금까지 살펴본 것보다 더 깊은 수준의 연결이 필요하다고 느낀다.

이와 관련해서 한 가지 생각해 볼 점이 있다. 그간 제시되고 있는 여러 연결 방식에 공통된 기본 입장이 과학과 인문학의 관계를 대립 관계로 보기보다는 상호 보완 관계로 보는 것이고, 이는 근본적으로 옳

---

* 에드워드 월슨, 최재천·장대익 역, 『통섭: 지식의 대통합』, 43쪽. 그는 이어서 "천문학, 지질학 그리고 진화생물학 역시 일차적으로 역사적인 분과들이다. 하지만 그것들은 통섭을 통해 자연과학의 다른 분야들과 연결되어 있다"고 이야기한다.

은 입장이지만 문제점이 깔려 있다는 것이다. 과학과 인문학의 관계를 대립 관계로 보는 경우에서 그렇듯이, 상호 보완 관계로 보는 입장에도 과학과 인문학 두 가지를 같은 층위에 두고 보는 면이 있다는 점이다. 그러나 사실은 과학과 인문학은 층위가 다른 것들이다. 그것은 이 두 가지 중 어느 것이 어느 것보다 우위라는 면에서가 아니라, 이 두 가지가 서로 다른 수준, 다른 차원, 다른 성격의 것들이어서 서로 대칭적인 통합이 불가능하다는 의미이다. 그렇다면 가능한 것은 '연결'일 뿐이다. 그리고 연결을 위해서는 서로 층위가 다른 이 두 가지를 대칭적인 것으로 봄으로써 생겨난 경계, 구획, 장벽을 제거하는 것이 중요하다. 실제 역사상으로도, 과학과 인문학이 대등한 지위에 있으면서 서로 대립하고 영향을 미치고 관계를 맺어 온 것이 아니다. 당초 철학과 신학의 부차적인 일부였던 과학이 독립, 분리되고 중요해지고 큰 영향을 미치고 인문학을 포함한 여러 다른 학문 분야에 모델이 되고 하는 관계가 된 것이다. 이런 점을 인식하게 되면 과학기술과 인문학을 단순히 만나게 하고, 통합·융합시키는 것이 아닌 다른 성격의 일이 필요함을 느끼게 될 것이다.

6

맺음말: 전망

지금까지 이 장에서 과학기술 시대의 인문학이 추구해야 할 바를 논의하면서 막상 나 자신의 구체적인 연결 방법이나 해결책을 제시하지 않았다. 물론 앞 절에서 과학과 인문학의 연결을 표방하는 몇몇 시도에 대해 이야기했지만, 주로 그런 시도들에 대해 불만을 토로하고 비판만 해왔다. 위에서 거론한 것들 중 어느 것도 내게는 만족할 만한 해결책이 되기에는 충분치 못해 보였기 때문이었다. 사실 이 문제를 두고 나는 때로 지극히 비관적인 기분에 빠지기도 하고, 그럴 때는 오늘날 우리가 처한 과학기술의 분리·장벽·소외 상황에 대한 출구가 없는 것이 아닐까 하는 의혹이 들기도 한다.

그러나 뚜렷한 방법, 현재 출구가 안 보인다는 측면에서는 절망적이지만, 그리고 1장의 끝에서 그 같은 절망감을 토로하기도 했지만,

그렇다고 연결이 끝내 이루어지지 않으리라고는 생각지 않는다. 그 같은 일말의 희망의 근거는 사실 가련할 정도로 미약하고, 어쩌면 무책임하다고 할 수 있는 것이다. 사람들이, 그리고 사회가 그 같은 분리 상태에 안주한다는 것이 철저하게 불가능해졌고, 따라서 그 같은 분리 상태가 결코 지속될 수 없다는 생각이 바로 그 근거다. 그 같은 불만에서 동력을 얻어 결국은 누군가, 어떻게 해서인가 연결을 이루어낼 것이라고 믿는 것이다. 그렇다면 그런 연결이 이루어졌을 때 그런 연결을 외면하고, 심지어는 저항해 온 사람들의 위치는 어떤 것이 될까? 르네상스 시기, 또는 다른 변화의 시기에 그에 저항하던 사람들의 슬픈 모습이 아닐까?

해결책이 되어 줄 연결의 방법이 구체적으로 어떠하리라는 것을 지금 예측할 수는 없다. 아마도 그동안 제시된 해결책들이 아닌 새로운 해결책이 나올 수도 있겠지만, 다른 한편 오늘날 제시되고 있는 해결책들 중 어느 것이 오랜 시간 후에 주도적인 해결책이 될 수도 있을 것이다. 다만 역사상의 학문, 사조의 커다란 흐름이나 변화들이, 특히 몇 세기 만에 나오는 큰 규모의 변화들이 어떤 상황에서 어떤 식으로 진행되었는가를 검토해 봄으로써 우리가 찾고 있는 해결책이 어떤 종류의, 어떤 성격의 것이 되리라는 것을 짐작할 수는 있는데, 아마 완전히 새로운 것, 그리고 그것이 제시될 당시에는 나중에 가서 받아들여지고 효과를 내는 해결책이 될 것이라고 미리 짐작할 수 없는 것일 가능성이 크다. 어쩌면 위와 같은 문제들을 인식하지도 않고, 그 해결을 모색하는 일과는 아무 관계도 없이 이루어진 시도가 뜻하지 않게 위의 문제들에 대한 해결책을 마련해 주게 될 수도 있을 것이다. 따라서 그 같은 해결책을 얻어 내는 것을 목표로 의도적으로 조직적인 프로젝트를 구성해서 체계적인 활동을 벌여 해결책이 얻어지는 것은 아닐 것이다. 물론 그렇다고 갑자기 뚝 떨어지는 것도 아닐 것이다. 위에 제시한 방법들을 포함해서 여러 가지를 계속 시도하는 가운데 그중에서 어느 하나의 해결책이 부상할 것이다.

그렇다면 위에서 말한 것과 같은 과학과 인문학의 '만남'이나 '연결'을 겨냥한 의도적인 시도들보다 더 중요한 것은 과학과 인문학이 분리되어 있는 현재의 상황이 문제임을 인식하는 것이 되겠다. 이런 면에서 근래에 들어 문제에 대한 인식이 얼마만큼 이루어져 있음은 다행이다. 근래에 과학과 인문학, 예술, 문화 등의 '만남'의 시도나 '통합'·'융합'의 주장이 많아졌다는 사실 자체가 그 같은 인식이 널리 퍼지고 있음을 보여준다. 그렇지만 훨씬 더 철저한 인식이 필요하다. 과학과 인문학이, 과학과 문화 일반이 서로 분리된 현재의 상황이 얼마나 심각한 문제이고 그것을 해결하는 것이 얼마나 중요한지에 대한 철저한 인식, 그리고 그것을 해결한다는 것이 지극히 어려움에도 불구하고 반드시 해결되어야만 하고 결국은 해결되고 말 것이라는 인식이 필요한 것이다.

한편 이 같은 해결책을 제시해 주는 것이 반드시 인문학일 것이라거나 인문학이 반드시 그것을 해내야 한다고 말할 수는 없다. 어쩌면 사회과학이 그 일을 해낼 수도 있다. 사실 월러스틴Immanuel Wallerstein 같은 사람은 '두 문화'의 문제에 대해 이야기하면서 '역사적 사회과학'historical social science이 그것을 해낼 것이라고 말하기도 했다.[19] 인문학과 과학이 모두 사회과학에 포괄되어 사회과학화함으로써 그 같은 일이 일어날 것이라는 생각이다. 당초 사회과학이 인문학과 과학 양쪽의 성향 사이에서 마찰을 겪었던 것을 생각하면 이는 흥미로운 생각이기도 하다. 초기에 사회과학은 한편으로는 과학적임을 내세우기도 하면서 다른 한편으로는 자연과학으로부터의 독립, 분리를 추구했다. 전자의 경우에는 일반화된 법칙을 추구하는 반면, 후자의 경우에는 개별 사회 현상의 특수성을 강조했던 것이다.[20]

그러나 만일 인문학이 그것을 해내게 된다고 하면, 해결책을 제시해 주는 그 무엇을 '인문학'이라고 부른다면, 한 가지 있을 법한 시나리오, 생겨날 법한 상황은 '인문학'이란 하나의 분야가 존재하게 되지는 않으리라는 것이다. 사실 현재도 우리가 '인문학'이라고 부르는 것은 그냥 여러 인문학 전문 분야들의 합, 심지어는 인문대학에 속한 분야들의 합을 지칭하는 이름일 뿐 실체가 있는 것인가는 의문스럽다.＊ 그렇다면 우리가 추구해야 할 것은 인문학 분야들의 합이 아니라 모든 학문 분야 — 현대에 와서 전문화되어 버린 — 를 아우르는 '인문

＊ 물론 '자연과학'도 여러 전문 분야의 합이라고 할 수 있지만, 그렇다고 실체가 없다고 하기는 힘들다. 이런 면에서 인문학에 해당하는 영어 단어가 'humanities'로 복수 형태라는 점을 생각해 볼 만하다. 물론 자연과학도 'sciences'라는 복수 형태도 있지만 'science'라는 단수 형태가 있는 데 반해, 'humanities'를 단수로 만들면, 'humanity'는 뜻이 달라져 버려 '인간성'·'인간다움'·'인간애' 등이 되고, 또는 이런 모든 것들을 아우르는 말로 '인문 정신'과 같은 의미를 지니게 된다.

학', 전문 지식에 머물지 않고 인간의 삶의 여러 문제에 의미 있고 도움이 되는 방식으로 이런 분야들을 포괄하는 '인문학'이 아닐까? 물론 어떻게 '아우르고' '포괄할' 것인가 하는 질문은 역시 계속 제기될 것이다. 그러나 분명한 것은 이렇듯 아우르고 포괄하면서 과학기술을 제외한다는 것은 생각할 수도 없다는 점이다.

결국 우리가 찾는 인문학은 '학'이라기보다는 '방법', '정신'이다. 그리고 이것은 사실 복수인 'humanities'보다는 단수 'humanity'라는 단어의 뜻과 더 부합되며, 명사로서보다는 형용사로서 기능하는 말인 것 같다. 모든 학문 분야 — 오늘날 인문학에 속하는 분야들을 포함해서 — 는 전문화되어 갈 것이지만, 그럼에도 그 분야들 모두를 아우르는 '인문적' (이제는 형용사로서) 정신, 방법, 그리고 그 같은 정신과 방법에 대한 필요와 욕구는 남을 것이다.* 이것이 바로 '인문적'이 추구하는 바가 될 것이고 그 추구에서 새로운 해결책이 나오게 될 것이다.**

역시 뚜렷한 답, 속 시원한 답은 못되었다. 어차피 내가 이 책에서

---

* 그리고 그것은 결과적으로 단순히 '인문학'이 아니라 '인문적' 과학, '인문적' 사회과학, '인문적' 경제학 같은 것들을 낳을 수도 있을 것이다.

** 이와 관련해서 생각해 볼 점은, 과거에는 '인문학'에 해당되는 윤리학이 유용한 것으로 인식되었고 자연에 대한 탐구는 실용성이 없다고 생각되었다는 사실이다. 현재는 이와는 정반대의 상황이다. 자연에 대한 탐구인 과학은 유용한 것으로, 그리고 윤리학을 포함한 인문학은 실용성이 없는 학문으로 인식되고 있는 것이다. 그렇다면 바로 '인문적' 정신과 방법의 추구가 과거 인문학이 지녔던 유용성을 회복하는 길이 아닐까?

꾀한 것은 뚜렷한 답을 자신 있게 제시하기보다는 문제를 제기하는 것, 특히 문과와 이과, 인문학과 과학을 구분해서 그 사이에 장벽을 치고 있어서는 결코 해결책이 얻어질 수 없을 것임은 물론 문제를 심하게 만들 것임을 지적하는 일이었다. 이에 대한 이해와 공감이 얻어진다면, 나는 그것으로 만족할 것이다. 그 외에 내가 한 이야기들은 문제의 해결을 가져올 답이라기보다는 불만스러운, 오히려 문제를 불러일으키는 것이었다. 그러나 그렇게 함으로써 반문과 비판을 불러일으키고, 그에 따라 나 자신이, 그리고 다른 사람들이 계속 더 생각하는 데 도움이 되었기를 나는 기대한다. 아마도 그 같은 비판과 반문의 과정에서 다른 대답들이 제시될 것을 기대할 수도 있을 것이다. 당장에 이 책의 독자들로부터 그런 일이 시작되기를 기대한다.

주

1 이 절의 내용의 많은 부분은 김영식, 「지식의 변화와 대학의 대응」, 『과학, 인문학 그리고 대학』(생각의나무, 2007), 151~170쪽에 기반하고 있다.

2 Paolo Rossi, *Philosophy, Technology and the Arts in the Early Modern Era* (New York: Harper & Row, 1970); Laurence R. Veysey, *The Emergence of the American University* (Chicago: University of Chicago Press, 1965).

3 Edward Grant, "The Medieval University and the Impact of Aristotelian Thought", *Physical Science in the Middle Ages* (New York: Wiley, 1971), chap. 3; 번역본: 에드워드 그랜트, 홍성욱·김영식 역, 『중세의 과학』(민음사, 1992). 중세 유럽 대학의 형성 배경에 대한 더 자세한 내용은 Gordon Leff, *Paris and Oxford Universities in the Thirteenth and Fourteenth Centuries: An Institutional and Intellectual History* (New York, 1968)를 볼 것.

4 George Makdisi, "On the Origin and Development of the College in Islam and the West", Khalil I. Seeman (ed.), *Islam and the Medieval West* (Albany: SUNY Press, 1980), 26~49쪽.

5 John Gascoigne, "A Reappraisal of the Role of the Universities in the Scientific Revolution", David C. Lindberg and Robert S. Westman (eds.), *Reappraisals of the Scientific Revolution* (Cambridge: Cambridge University Press, 1990), 207~260쪽.

6 이 절의 내용의 많은 부분이 김영식, 「인문대학 신입생들과 함께 생각해 보는 인문학」, 『과학, 인문학 그리고 대학』, 191~204쪽에 바탕하고 있다.

7 김영식, 「한국 과학의 특성과 반성」, 김영식·김근배 엮음, 『근현대 한국사회의 과학』(창비, 1998), 342~363쪽.

8 Jacques Ellul, *Technological Society* (New York: Knopf, 1964); 번역본: 자크 엘루,

박광덕 역, 『기술의 역사』(한울, 1996).

9 홍성욱, 「인간과 기계, 인문학과 테크놀로지」, 『테크네 인문학을 향하여』(연세대학교 미디어아트연구소, 2008. 5. 22 테크네심포지엄 1 발표자료집), 19쪽.

10 홍성욱, 「인간과 기계, 인문학과 테크놀로지」, 22쪽.

11 문병호, 「자연-인간-사회 관계의 구조화된 시스템으로서의 기술」, 『테크네 인문학을 향하여』, 24~41쪽 중 39쪽.

12 Edward O. Wilson, *Consilience: The Unity of Knowledge* (New York: Alfred A. Knopf, 1998); 번역본: 에드워드 윌슨, 최재천·장대익 역, 『통섭: 지식의 대통합』(사이언스북스, 2005).

13 최재천, 「옮긴이 서문」, 최재천·장대익 역, 『통섭: 지식의 대통합』, 7~23쪽 중 20~21쪽.

14 같은 책, 46쪽.

15 에드워드 윌슨, 최재천·장대익 역, 『통섭: 지식의 대통합』, 45쪽.

16 같은 책, 460쪽. 이 같은 환원주의적 성격에 대한 비판의 예로 김홉영, 「통섭을 반대한다」, 전상인·정범모·김형국 엮음, 『배움과 한국인의 삶』(나남, 2008)을 볼 것.

17 에드워드 윌슨, 최재천·장대익 역, 『통섭: 지식의 대통합』, 8장.

18 같은 책, 369쪽.

19 Immanuel Wallerstein, *The Uncertainties of Knowledge* (Philadelphia: Temple University Press, 2004); 번역본: 이매뉴얼 월러스틴, 유희석 역, 『지식의 불확실성: 새로운 지식 패러다임을 찾아서』(창비, 2007).

20 이매뉴얼 월러스틴, 유희석 역, 『지식의 불확실성』, 26·41쪽 등.

후기

이 책의 각 장을 이루는 강의들을 들은 후 세 명의 지정 논평자가 공통으로 지적한 내 강의의 문제점은 과학기술과 인문학 사이에 현재까지 시도된 여러 연결('접점')의 형태들을 논의하면서 내가 그것들을 지나치게 부정적으로 평가해서 모두 '충분치 않다'거나 '만족할 수 없다'고 한다는 점이었다. 이는 아마도 내 욕심이 지나쳐서 생긴 문제점인지도 모르겠다는 생각이 든다. 그러나 다른 한편으로는 모든 것들의 밑에 깔려 있는 견고하고 완강한 문과–이과 구분의 장벽이 이런 형태의 시도들을 통해서는 깨지지 않을 것이라는, 경우에 따라서는 더 견고해질 수도 있다는 의구심이 나로 하여금 그런 식의 부정적인 모습을 보이도록 했는지도 모르겠다.

구체적으로, 신중섭 교수는 "인문학과 과학의 연결을 지나치게 추구할 것이 아니라, 과학과 기술 관련 학문(과학사와 같은)을 발전시키고 그것을 교육함으로써 문과와 이과의 구분이 초래한 부작용을 어느 정도는 해결할 수 있지 않을까?"라고 질문했는데, 나는 그 같은 분야들의 교육이 필요하기는 하지만 충분하지는 않다고 생각한다. 과학기술이라는 분야의 성격, 특히 과학 활동이나 과학자의 성격을 제대로 이해하기 위해서는 과학기술 자체에 실제로 부딪쳐서 하는 경험이 필요한 것이다. 물론 어차피 모든 인문학자들이 모든 과학 분야에 접하도록 하는 것은 불가능하지만, 한 분야라도 어느 정도 수준에서 접해 볼 필요가 있다. 너무 어려워서 충분히 이해하지 못하더라도, 심지어 곧 잊어버리더라도 한번 접해서 경험하는 것이 필요하다. 특히 인문학자들이 과학기술을 회피하지 않아야 하고, 회피할 수도 없다는 것을 이해하도록 하는 것이 중요하다. 자신들이 과학기술을 이해하지 못하는 것을 당연하다고 느끼지 않고 그것을 불편하게 느끼도록 해야 하는 것이다. 물론 제대로 된 과학사 교육이 이 같은 효과를 낼 수도 있겠지만, 그러기 위해서는 가르치는 쪽이나 배우는 쪽에서 신경을 써서 실제 과학기술의 내용과 방법에 대한 이해를 얻을 수 있도록 해야 할 것이다. 사실 대학 교과 과정에서 과학사 과목이 학생들에 의해 '어려운' 과학에 실제 접하는 일을 회피할 수 있도록 하는 수단으로 사용되는 경우를 나는 너무나 많이 보아 왔다.

논평자들은 또한 동서양의 역사적 전개 과정을 다루는 강의 내용들(이 책의 2장, 3장에 해당)이 오늘날의 바람직한 상황을 모색하는 내용(4장)에 잘 연결되지 못한 데 대한 불만을 표시했다. 이중원 교수는 "'서양 학문 전통 속의 과학과 인문학'으로부터 우리가 어떤 유의미한 역사적 교훈을 얻을 수 있을지 궁금하다"고 했고, 임종태 교수는 "동아시아 전통 사회의 상황이 오늘날의 문제와 어떤 식으로 '연결'되어 있는지에 대한 좀 더 적극적인 논의가 없었던 점은 아쉬웠다"고 토로했다. 역사적인 상황에 대한 검토가 앞으로 어떻게 해야 한다는 논의에 명쾌한 방식으로 기여할 것을 애초에 기대하지는 않았지만, 이런 점에서 이 책의 내용이 퍽 미흡한 것이 사실이다. 앞으로 더 숙고해 보아야 할 일이다. 그러나 굳이 위의 지적에 대해 답변을 하자고 들면, 이 같은 역사적인 상황에 대한 검토를 통해 구체적으로 어떻게 하라는 교훈을 얻기보다는 과학기술이 분리되어 있는 현재의 상황이 지극히 비정상적인, 독특한 역사적 상황에 의해 빚어진 것이라는 인식, 역사상 인류가 이렇게 과학기술을 분리시킨 일은 없었는데 정작 과학기술이 사회와 문화에서 이토록 중요해진 현대에 와서 이런 분리가 있는 것은 문제라는 인식 등을 얻는 것도 지극히 중요한 일이라고 말하고 싶다.

서로 다른 취지와 내용들로 이루어진 네 차례의 강의 내용을 정리한 이 책의 각 장들이 체계적으로 정합성 있게 구성되고 연결되었다고 할 수는 없고 따라서 위의 문제들 이외에도 많은 문제를 포함하고 있을 것이다. 실제로 강의를 준비하는 동안, 연단에 서서 강의를 하는 동안, 그리고 강의 내용을 정리하는 동안 내게는 계속해서 문제점들과 의문들이 떠올랐다. 그러나 그런 의문과 문제점들은 간단히 풀리고 해결될 성격의 것들은 아니었으니, 결국 그것들이 이 책에 고스란히 남아 있을 것이다.

이 문제들과 관련해서 현재 나의 상황은, 당초 문과-이과 간의 장벽과 격리 문제를 심각하게 느끼고 이를 지적하는 데서 시작한 후, 이에 대해 그 역사적 배경을 살피고 미래를 전망하고 해결책을 생각하면서 여러 가지를 깨달아 오고 생각이 변화하고 있는 과정에 처해 있다고 할 수 있다. 이 과정에서 내가 차츰 느껴 가고 있는 것은 인문학과 과학 사이에 필요한 것은 '통합'이 아니라 '연결'이 아닐까 하는 점이다. 때로는 통합은 어쩌면 불가능하거나 무리한 것이고, 심지어는 시도하지 말아야 할 것이 아닌가 하는 의문이 들기도 한다. 또한 구체적 '연결'의 방법을 강구하는 것보다 격리와 분리 상태를 해소하고, 장벽을 확실하게 철폐하는 것이 중요하지 않을까 하는 생각이 들기도 한다. 위에 말한 세 논평자의 논평에서도 같은 방향의 생각을 느낄 수 있었다.

끝으로 두 가지 점에 대한 이야기를 덧붙이고 싶다. 먼저, 이 책의 내용이 주로 오늘날의 인문학자들에 대한 비판과 질책으로 이루어져 있다고 느끼는 독자들, 특히 인문학자들이 많을 것 같다. 그러나 이 책에서 내가 강조하고 싶었던 것은 인문학자들에 대한 질책보다는, 사실은 인문학자들이야말로 문과-이과 구분의 피해자라는 것이었다. 우리 학문 사회가 임의적이고 실체가 없는 그 같은 구분을 억지로 적용함으로써 많은 인문학자들로 하여금 사실은 자신들이 현대 사회와 문화 속에서 진정한 인문학자의 역할을 못하는 비정상적인 상황에 처해 있는 것도 인식하지 못하고 그 같은 상황의 불편함도 느끼지 못하도록 만들고 있다는 것이다.

또 한 가지는 이 책의 내용이 어쩔 수 없이 오늘날 자주 거론되는 '인문학의 위기'와 관련해서 읽히게 될 것이기에 그와 관련한 내 입장을 보다 분명히 하고 싶어서 덧붙이는 이야기이다. 많은 인문학자들이 위기의 근원을 인문학 외부에서 찾고 있지만, 나는 위기의 근원을 인문학 내부에서 찾아야 한다고 생각한다. 물론 오늘날 인문학의 정체停滯와 인문학자의 전문 기능인화를 빚어내는 외부의 요인들이 있음은 분명하다. 그러나 그 같은 외부 여건하에서는 그런 상황에 빠지지 않기 위해 인문학자들의 노력이 더욱더 요구된다. 오히려 우리 인문학자들이 그 같은 외부 여건에 호응하고, 심지어는 이용해 온 면은 없었나를 반성해야 할 것이다. 또한 많은 인문학자들이 우리나라의 대학이나 일반 사회에서 인문학의 지위가 매우 취약하다고 이야기하는데, 나는 동의할 수 없다. 나는 우리나라 대학이나 사회에서 인문학의 지위는 과거에도 높았고 오늘날도 비교적 높다고 생각한다. 문제는 바로 우리 사회의 인문학자들이 그 같은 높은 기반과 지위, 그리고 그에 따른 기대에 부응하지 못한 데 있지 않았을까? 성찰과 모색을 지속적으로 충분히 하지 못하고 주어진 틀에 안주해 온 것은 아닐까?

참고문헌

이 참고문헌 목록은 이 책에서 직접 인용된 문헌들만을 수록했으며, 널리 알려진 고전들은 수록하지 않았다.
수록 순서는 동양어 문헌은 저자의 이름의 가나다순, 서양어 문헌은 저자의 이름 알파벳순을 따랐다.

· 具萬玉, 『朝鮮後期 科學思想史 硏究 I: 朱子學的 宇宙論의 變動』(혜안, 2004).

· 김영식, 「한국 과학의 특성과 반성」, 김영식 · 김근배, 『근현대 한국 사회의 과학』, 342
  ~363쪽.

· 김영식, 『과학혁명: 전통적 관점과 새로운 관점』(아르케, 2001).

· 김영식, 『주희의 자연철학』(예문서원, 2005).

· 김영식, 「중국 과학에서의 Why not 질문: 과학혁명과 중국 전통과학」, 박민아 · 김영
  식, 『프리즘』, 421~444쪽.

· 김영식, 『과학, 인문학 그리고 대학』(생각의나무, 2007)

· 김영식, 『과학, 역사, 그리고 과학사』(생각의나무, 2008)

· 김영식 · 김근배 엮음, 『근현대 한국 사회의 과학』(창비, 1998).

· 김영식 · 임경순, 『과학사신론』(다산출판사, 1999).

· 김흡영, 「통섭을 반대한다」, 전상인 · 정범모 · 김형국, 『배움과 한국인의 삶』.

· 樂愛國, 『宋代的儒學與科學』(北京: 中國科學技術出版社, 2007).

· 문병호, 「자연-인간-사회 관계의 구조화된 시스템으로서의 기술」, 연세대학교 미디어
  아트연구소, 『테크네 인문학을 향하여』, 24~41쪽.

· 박권수, 「徐命膺의 易學的 天文觀」, 『한국과학사학회지』 20(1998), 57~101쪽.

· 박민아 · 김영식 편, 『프리즘: 역사로 과학 읽기』(서울대학교출판부, 2007).

· 송영배 · 금장태 외, 『한국 유학과 리기 철학』(예문서원, 2000).

· 신민철, 「명대 천문 '사습(私習)'의 금지와 역법관(曆法觀)의 재정립」(서울대학교 석사
  학위 논문, 2007).

- 신민철, 「명대 천문 '사습(私習)'의 금지령과 천문서적의 출판: 그 이념과 실체」, 『한국 과학사학회지』 29(2007), 231~260쪽.
- 연세대학교 미디어아트연구소 편, 『테크네 인문학을 향하여』(2008. 5. 22 테크네심포 지엄 1 발표자료집).
- 張永堂, 『明末方氏學派研究初編: 明末理學與科學關係試論』(臺北: 文鏡文化事業有限 公司, 1987).
- 장원목, 「조선 전기 성리학 전통에서의 리와 기」, 송영배·금장태 외, 『한국 유학과 리 기 철학』, 117~124쪽.
- 전상인·정범모·김형국 엮음, 『배움과 한국인의 삶』(나남, 2008).
- 전용훈, 「조선 후기 서양 천문학과 전통천문학의 갈등과 융화」(서울대학교 박사학위 논 문, 2004).
- 崔相天, 「李家煥과 西學」, 『韓國敎會史論文集』 II(1984), 41~67쪽.
- 韓琦, 「君主和布衣之間: 李光地在康熙時代的活動及其對科學的影響」, 『淸華學報』 新 26卷(1996), 421~445쪽.
- 홍성욱, 「인간과 기계, 인문학과 테크놀로지」, 연세대학교 미디어아트연구소, 『테크네 인문학을 향하여』, 8~23쪽.
- 홍성욱, 『인간의 얼굴을 한 과학: 융합 시대의 과학 문화』(서울대학교출판부, 2008).

- Ashby, Eric, *Technology and the Academics: An Essay on Technology and the Universities* (London: 1958).
- Berlin, Isaiah, "The Divorce between the Sciences and the Humanities", *Proper Study of Mankind*, 326~358쪽.
- Berlin, Isaiah, *The Proper Study of Mankind* (London: Chatto and Windus, 1997).
- Bol, Peter K., "Chu Hsi's Redefinition of Literati Learning", de Bary and Chaffee, *Neo-Confucian Education*, 151~185쪽.
- Brown, Harold, "Objective Knowledge in Science and the Humanities",

Diogenes 97 (1977), 85~102쪽.

· Chan, Wing-tsit, "The Evolution of the Neo-Confucian Concept Li as Principle", *Tsing Hua Journal of Chinese Studies*, new series, 4, no. 2 (1964), 123~149쪽.

· Chu, Pingyi, "Remembering Our Grand Tradition: The Historical Memory of the Scientific Exchanges between China and Europe, 1600-1800", *History of Science* 41 (2003), 193~215쪽.

· Clagett, Marshall, ed., *Critical Problems in the History of Science* (University of Wisconsin Press, 1959).

· Cohen, I. Bernard, "The Scientific Revolution and the Social Sciences", Cohen, ed., *Natural Sciences and the Social Sciences*, 153~203쪽.

· Cohen, I. Bernard, ed., *The Natural Sciences and the Social Sciences: Some Critical and Historical Perspectives* (Boston: Kluwer Academic Publishers, 1994).

· Crane, Ronald S., *The Idea of the Humanities and Other Essays Critical and Historical*, 2 volumes (Chicago: University of Chicago Press, 1967).

· de Bary, William Theodore, "Some Common Tendencies in Neo-Confucianism", Nivison and Wright, *Confucianism in Action*, 25~49쪽.

· de Bary, William Theodore, ed., *The Unfolding of Neo-Confucianism* (New York: Columbia University Press, 1975).

· de Bary, William, Theodore and John W. Chaffee, eds., *Neo-Confucian Education: The Formative Stage* (Berkeley: University of California Press, 1989).

· Ellul, Jacques, *Technological Society* (New York: Knopf, 1964); 번역본: 자크 엘루 지음, 박광덕 옮김, 『기술의 역사』(한울, 1996).

· Elman, Benjamin A., *On Their Own Terms: Science in China, 1550-1900* (Cambridge: Harvard University Press, 2005).

· Elman Benjamin A. and Alexander Woodside, eds., *Education and Society in Late Imperial China, 1600-1900* (Berkeley: University of California Press,

1994).

· Engelfriet, Peter and Siu Man-keung, "Xu Guangqi's Attempts to Integrate Western and Chinese mathematics", Jami, Engelfriet, and Blue, *Statecraft and Intellectual Renewal*, 279~310쪽.

· Engelfriet, Peter, *Euclid in China* (Leiden: Brill, 1998).

· Furth, Charlotte, "Introduction: Thinking with Cases", Furth, Zeitlin, and Hsiung, *Thinking with Cases*, 1~27쪽.

· Furth, Charlotte, Judith T. Zeitlin, and Ping-chen Hsiung, eds., *Thinking with Cases: Specialist Knowledge in Chinese Cultural History* (Honolulu: University of Hawaii Press, 2007).

· Gascoigne, John, "A Reappraisal of the Role of the Universities in the Scientific Revolution", Lindberg and Westman, *Reappraisals of the Scientific Revolution*, 207~260쪽.

· Gernet, Jacques, "A Note on the Context of Xu Guangqi's Conversion", Jami, Engelfriet, and Blue, *Statecraft and Intellectual Renewal in Late Ming China*, 186~190쪽.

· Gillispie, Charles C., *The Edge of Objectivity* (Princeton: Princeton University Press, 1960); 번역본: 이필렬 옮김, 『객관성의 칼날』(새물결, 1999).

· Gillispie, Charles C., "The Encyclopedie and the Jacobin Philosophy of Science: A Study in Ideas and Consequences", Clagett, *Critical Problems in the History of Science*, 255~289쪽; 번역본:「백과전서와 쟈꼬뱅 과학철학」, 김영식 편, 『역사 속의 과학』(창비, 1982), 247~285쪽.

· Grant, Edward, *Physical Science in the Middle Ages* (New York, 1971); 번역본: 홍성욱·김영식 옮김, 『중세의 과학』(민음사, 1992).

· Grant, Edward, *The Foundations of Modern Science in the Middle Ages: Their Religious, Institutional, and Intellectual Contexts* (Cambridge University Press, 1996).

- Hall, A. Rupert, *The Revolution in Science, 1500-1750* (London: Longman, 1983).

- Han Qi, "Knowledge and Power: Kangxi Emperor's Role in the Transmission of Western Learning", a paper presented to the Kyujanggak International Workshop, held in Seoul, on 16-18 October 2007.

- Hannaway, Owen, "Georgius Agricola as Humanist," *Journal of the History of Ideas 53* (1992), 553~560쪽.

- Horng Wann-Sheng, "The Influence of Euclid's *Elements* on Xu Guangqi and His Successors", Jami, Engelfriet, and Blue, *Statecraft and Intellectual Renewal in Late Ming China*, 380~397쪽.

- Jami, Catherine, "Learning Mathematical Sciences during the Early and Mid-Ch'ing", Elman and Woodside, *Education and Society in Late Imperial China*, 223~256쪽.

- Jami, Catherine, Peter Engelfriet, and Gregory Blue, eds., *Statecraft and Intellectual Renewal in Late Ming China: The Cross-Cultural Synthesis of Xu Guangqi (1562-1633)* (Leiden: Brill, 2001).

- Kibre, Pearl and Nancy G. Siraisi, "The Institutional Setting: The Universities", Lindberg, *Science in the Middle Ages*, 120~144쪽.

- Leff, Gordon, *Paris and Oxford Universities in the Thirteenth and Fourteenth Centuries: An Institutional and Intellectual History* (New York, 1968).

- Li Yan and Du Shiran, *Chinese Mathematics, a Concise History*, tr. by John N. Crossley and Anthony W.-C. Lun. (Oxford: Clarendon Press, 1987).

- Lindberg, David C., ed., *Science in the Middle Ages* (Chicago: University of Chicago Press, 1978).

- Lindberg, David C. and Robert S. Westman, eds., *Reappraisals of the Scientific Revolution* (Cambridge: Cambridge University Press, 1990).

- Long, Pamela O., *Openness, Secrecy, Authorship: Technical Arts and the Culture of*

Knowledge from Antiquity to the Renaissance (Baltimore : Johns Hopkins University Press, 2001).

· McMullen, David, "Historical and Literary Theory in the Mid-Eighth Century", Wright and Twitchett, *Perspectives on the T'ang*, 307~342쪽.

· Makdisi, George, "On the Origin and Development of the College in Islam and the West", Seeman, *Islam and the Medieval West*, 26~49쪽.

· Needham, Joseph 등, *Science and Civilisation in China* (Cambridge : Cambridge University Press, 1954~).

· Nivison, David S. and Arthur F. Wright eds., *Confucianism in Action* (Stanford : Stanford University Press, 1959).

· Pagani, Catherine, *"Eastern Magnificence & European Ingenuity"* : *Clocks of Late Imperial China* (Ann Arbor : University of Michigan Press, 2001).

· Palmquist, Stephen, "Kant's Cosmogony Re-Evaluated", *Studies in History and Philosophy of Science* 18 (1987), 255~269쪽.

· Peterson, Willard J., "Fang I-chih: Western Learning and the 'Investigation of Things'", de Bary, *Unfolding of Neo-Confucianism*, 369~411쪽; 번역본: 윌라드 J. 피터슨, 「방이지의 격물 사상과 서양 과학 지식」, 金永植 編, 『중국 전통 문화와 과학』 (창비, 1986), 333~365쪽.

· Plumb, John H., ed., *Crisis in the Humanities* (Harmondsworth, 1964).

· Popkin, Richard H., *The History of Skepticism from Erasmus to Spinoza* (Berkeley : University of California Press, 1979).

· Rose, Paul Lawrence, *The Italian Renaissance of Mathematics: Studies on Humanists and Mathematicians from Petrarch to Galileo* (Travaux d'Humanisme et Renaissance, Droz, Geneva, 1975).

· Rossi, Paolo, *Philosophy, Technology and the Arts in the Early Modern Era* (New York : Harper & Row 1970).

· Roszak, Theodore, *The Making of a Counter Culture: Reflections on the Technocratic*

Society and Its Youthful Opposition (Doubleday, 1969).

· Seeman, Khalil I., ed., *Islam and the Medieval West* (Albany: SUNY Press, 1980).

· Shapin, Steven. *The Scientific Revolution* (University of Chicago Press, 1996); 번역본: 한영덕 옮김, 『과학혁명』(영림카디널, 2002).

· Snow, Charles. P., *The Two Cultures and the Scientific Revolution* (Cambridge University Press, 1959); 번역본: 오영환 역, 『두 문화』(사이언스북스, 2001).

· Standaert, Nicolas, "Xu Guangqi's Conversion as a Multifaceted Process", Jami, Engelfriet, and Blue, *Statecraft and Intellectual Renewal in Late Ming China*, 170~185쪽.

· Veysey, Laurence R., *The Emergence of the American University* (Chicago: University of Chicago Press, 1965).

· Wagner, David L., ed., *The Seven Liberal Arts in the Middle Ages* (Bloomington, Indiana: Indiana University Press, 1983).

· Wallerstein, Immanuel, *The Uncertainties of Knowledge* (Philadelphia: Temple University Press, 2004); 번역본: 유희석 옮김, 『지식의 불확실성』(창비, 2007).

· Westfall, Richard S., *The Construction of Modern Science: Mechanisms and Mechanics* (New York: Wiley, 1971), 105쪽; 번역본: 정명식·김동원·김영식 옮김, 『근대과학의 구조』(민음사, 1992).

· Westman, Robert S., "Proof, Poetics, and Patronage: copernicus's Preface to *De Revolutionibus*", Lindberg and Westman, *Reappraisals of the Scientific Revolution*, 167~205쪽.

· Wilson, Edward O., *Consilience: The Unity of Knowledge* (New York: Alfred A. Knopf, 1998); 번역본: 최재천·장대익 역, 『통섭: 지식의 대통합』(사이언스북스, 2005).

· Wright, Arthur F. and Denis Twitchett, eds., *Perspectives on the T'ang* (New Haven: Yale University Press, 1973).

찾아보기

김영성